O9-BTJ-510

CHANTIER
PUITS
VINS ET LIQUEURS 9
CORDESSE

LA FRANCE du XX SIÈCLE en images

Jean-Joseph Julaud

LA FRANCE du XX SIÈCLE en images

SOMMAIRE

FÊTE
(FAITES)
DE LA
MUSIQUE
21 JUIN

INTRODUCTION

Pendant des millénaires, l'homme a contemplé les oiseaux, envieux de leurs ailes ; il a suivi des yeux la course des félins, fasciné par leur vitesse ; il a rêvé que ses paroles puissent être entendues par quelque ami, parti depuis longtemps, au bout du monde ; il a consulté devins et magiciens pour panser tous les maux de la vie. En vain. Il a laissé toutes ces chimères l'envahir, ignorant qu'il faut toujours se méfier des rêves : parfois, ils se réalisent.

L'homme du XXe siècle ne rêve plus comme ses ancêtres. Il vole comme les oiseaux, et même mieux qu'eux puisqu'il peut emporter avec lui des centaines de passagers ; il file à 300 km/h dans son TGV, reléguant les guépards au rang de modestes coursiers ; il parle à ses amis du bout du monde, comme s'ils étaient là, en face de lui, il les voit et les entend, il leur sourit. Et si d'aventure quelque douleur tenace ou quelque affection maligne lui cherche des noises, il sait qu'il y aura toujours une thérapie, une chirurgie pour le débarrasser de ses soucis de santé.

Siècle de magie, le XXe siècle ! Les utopies les plus folles sont entrées dans l'ordinaire du quotidien. Oui mais... Siècle de folie ! Qui eût cru que la Belle Époque, ces quatorze années du début du siècle où la foi dans le progrès gouvernait les esprits, allait déboucher sur l'horreur des tranchées, sur ces vagues de jeunes gens lancés vers la mort dans les plaines de la Somme, à Verdun, à Craonne ? Tout allait bien, pourtant, les premières automobiles pétaradaient sur les routes, Blériot s'envolait vers Douvres, l'école laïque et obligatoire transmettait à chacun son viatique culturel. Tout allait bien, mais, dans les mémoires, la défaite de 1870 contre les Allemands ne passait pas. Et il fallut régler tout cela.

Siècle de folie ! Années folles, celles qui suivent la Grande Guerre ! Les soldats venus d'Amérique au secours de l'Europe ont apporté de la musique et des idées, des horizons élargis pour la pensée. La musique swingue, le charleston plaît, rend fous genoux et mollets. La politique ? Elle conduit cahin-caha la France qui se débat avec son franc malade, elle décide que la guerre sera hors la loi – pourquoi pas ? –, elle voit venir doucement, comme des ombres nées de l'inadvertance, de l'indifférence ou de certaines déroutes, les spectres des nationalismes qui s'exacerbent.

Soudain, dans le ciel trouble de 1936, éclate la nouvelle : le Front populaire a gagné les élections ! Léon Blum est là : pour vous qui travaillez,

Dans la première partie du siècle, les Français passent de l'insouciance de la Belle Époque à la boucherie de la Grande Guerre. La « der des der » ? Non : après la montée des nationalismes, un deuxième conflit mondial éclate avec son cortège d'horreurs, de massacres, de convois de Juifs vers les camps d'extermination.

voici des congés payés, la semaine de quarante heures, et puis l'augmentation de vos salaires ! C'est le temps des tandems et de la Triganette, jusqu'à la mer… Mais, dans le lointain de l'Est, résonnent des bruits de bottes. Le chancelier Hitler, ogre aux yeux fous, accapare quelque territoire puis promet qu'il en a fini… Folie ! Voici la De Gaulle ! Il revient au pouvoir en 1958, inaugure la Ve République, met fin à la guerre en Algérie, conduit, lyrique et théâtral, la France à la prospérité, met en œuvre de grands projets puis, désarçonné par les grands chahuts de 1968, vaincu par le référendum, s'en va. « La France est veuve », dit Pompidou à la mort du Général.

Après la Seconde Guerre mondiale et les heures douloureuses de la décolonisation, toutes sortes de progrès dans les technologies et les mentalités permettent d'offrir, malgré la montée du chômage, un confort de vie jusqu'alors inconnu.

France envahie, cinq ans de douleurs, cinq ans de trahisons, d'héroïsme pour les résistants, de honte pour les collabos, et puis ces décisions odieuses sur le statut des Juifs, l'étoile jaune, les rafles, celle du Vél' d'Hiv, jusqu'à l'insoutenable, la Shoah. Enfin, en 1944, le débarquement allié !

France blessée, humiliée, indigne et héroïque, on recolle tout et naît la IVe République, qui décolonise en déchirant les liens. Années de blessures pendant que l'économie se rassure et progresse, et que l'Europe balbutie d'abord dans le charbon et l'acier, avant de donner de la voix en signant le traité de Rome. Les Trente Glorieuses jouent la marche en avant : les ménages s'équipent, la télévision colonise les foyers, le confort donne à la vie le goût du bonheur Formica. Mais la guerre est là, sur le seuil des portes que quittent les appelés pour la rejoindre : défaite en Indochine, guerre d'indépendance en Algérie.

Veuve, oui, mais elle se remarie avec un avenir d'abord compromis par le choc pétrolier de 1973. Elle fait alors la « chasse au gaspi », tente d'endiguer le chômage, n'y parvient guère, mais se console en développant les loisirs, en voyant croître sans cesse les nouvelles technologies, en réalisant avec des partenaires européens des projets qui la rendent fière. Elle intègre dans sa vie tous ceux qui viennent d'autres horizons de pensée, de religion. Elle est ouverte au monde.

Étonnant XXe siècle ! Tant de rêves se sont réalisés. Cependant, il ne sert à rien de s'en méfier, car ils demeurent et gagnent en intensité : aujourd'hui, la rêverie fait partie de la vie, on peut s'y laisser aller à toute heure, contempler oiseaux, félins, amis, devins sur l'ordinateur.

Jean-Joseph Julaud

1900 VISITEURS DE L'EXPOSITION UNIVERSELLE.

LA BELLE ÉPOQUE

Ah, c'était « la belle époque » ! Ainsi désigne-t-on avec nostalgie, après que la Grande Guerre a eu lieu, les années 1900-1914. On se rappelle tous les vœux de bonheur déposés par la fée électricité dans le berceau du XXe siècle naissant. On revoit les fous volants tout fiers de leurs sauts de puce dans leurs drôles de machines. On se souvient de l'enthousiasme général provoqué par l'idée que le progrès ne connaîtrait pas d'interruption. La « Belle Époque », vraiment ? Les journées de travail de dix heures, un seul jour de repos hebdomadaire, les vacances encore inconnues. Oui, mais... on a le cœur gai. On chante « Viens, Poupoule ! », on danse le fox-trot. On vit, on s'étourdit. Nostalgie...

1900

Cette année-là aussi… Lancement du premier *Guide Michelin,* créé par les frères Édouard et André Michelin. Le guide est offert avec l'achat d'un pneumatique. La France compte 2 400 conducteurs. **…** La gare d'Orsay est inaugurée.

15 AVRIL

VISITEURS À L'EXPOSITION UNIVERSELLE

Le pont Alexandre-III à Paris est envahi par les visiteurs de l'exposition universelle qui a ouvert ses portes le 15 avril. Inaugurée par Émile Loubet, cette exposition a pour thème l'électricité. Cinquante millions de personnes la visitent, sûres que le XXe siècle sera celui du progrès ininterrompu. Le Grand Palais et le Petit Palais sont construits à cette occasion.

1900

19 JUILLET

OUVERTURE DE LA PREMIÈRE LIGNE DU MÉTRO PARISIEN

Mise en chantier en 1898, la première ligne de métro Porte-Maillot–Vincennes est ouverte au public le 19 juillet, à 13 h. Le Breton Fulgence Bienvenüe en a dirigé les travaux. Les édicules des stations sont l'œuvre d'Hector Guimard, architecte représentant de l'Art nouveau, dont les lignes courbes s'opposent symboliquement aux excès de l'ère industrielle.

Cette année-là aussi… Sur une proposition du ministre Alexandre Millerand, la loi instituant la journée de travail de dix heures est votée. Son application sera progressive dans les quatre années qui suivront. Elle s'applique à tout le personnel des ateliers : enfants, adultes, femmes et hommes.

1900

LA FRANCE, GRAND PRODUCTEUR AUTOMOBILE
Les inventeurs et constructeurs français rivalisent d'imagination pour que la voiture mue par un moteur à explosion, qui est apparue dans les années 1890, aille toujours plus vite et plus loin. Les plaques d'immatriculation deviennent obligatoires. Les essais de goudronnage des routes n'auront lieu qu'en 1906. La France, au début du XXe siècle, assure la moitié de la production automobile mondiale.

Cette année-là aussi... 60 % des Français vivent à la campagne, 40 % dans des villes de plus de 2 000 habitants. Parmi les actifs, 58 % sont agriculteurs. Ce sont 38 962 000 habitants qui vivent dans l'Hexagone.

1901

4 AVRIL

LES PREMIERS NUMÉROS DE *L'ASSIETTE AU BEURRE*

Le 4 avril paraît le premier numéro du journal illustré *L'Assiette au beurre,* créé par Samuel Schwartz. Les dessinateurs anarchistes y provoquent tous ceux qui représentent l'autorité. On y trouve, par exemple, les signatures de Van Dongen, de Benjamin Rabier, ou d'Henri-Gabriel Ibels, dont voici *Les Sœurs Machinson's,* danseuses qui – audace incroyable – relèvent leurs jupes au-dessus de leurs bas.

Cette année-là aussi... Du 25 juin au 14 juillet, Picasso et Iturrino exposent dans la galerie Ambroise-Vollard, à Paris. **...** Picasso fait la connaissance de Max Jacob.

1902

MAI

TOURNAGE DU *VOYAGE DANS LA LUNE* DE MÉLIÈS
D'abord prestidigitateur, Georges Méliès, né à Paris en 1861, s'intéresse au cinéma à partir de 1895. Jules Verne et H. G. Wells lui inspirent le film de science-fiction *Le Voyage dans la Lune* : seize minutes de trucages géniaux, entre fantastique et poésie ; l'ensemble est classé aujourd'hui au patrimoine mondial de l'Unesco.

1902

8 MAI

L'ÉRUPTION DE LA MONTAGNE PELÉE DÉTRUIT SAINT-PIERRE

Les élections législatives battent leur plein en Martinique. Les journaux rassurent quotidiennement la population locale, malgré des pluies et des nuages de cendres. Pourtant, le 8 mai, la montagne Pelée crache une énorme nuée ardente de plus de 1 000 degrés, qui dévale les pentes du volcan, engloutit la ville de Saint-Pierre et ses 26 000 habitants, en quelques heures.

Cette année-là aussi... Colette remporte un immense succès en publiant *Claudine en ménage*. ... Le 30 avril, *Pelléas et Mélisande,* opéra de Claude Debussy, est représenté pour la première fois.

1903

Le Petit Journal

Le Petit Journal
CHAQUE JOUR — SIX PAGES — 5 CENTIMES
Le Supplément illustré
CHAQUE SEMAINE 5 CENTIMES

5 Centimes SUPPLÉMENT ILLUSTRÉ 5 Centimes
Huit pages
L'AGRICULTURE MODERNE, 5 cent. — La Mode du Petit Journal, 10 cent.

ABONNEMENTS

	SIX MOIS	UN AN
SEINE ET SEINE-ET-OISE	2 fr.	3 fr. 50
DÉPARTEMENTS	2 fr.	4 fr.
ÉTRANGER	2 50	5 fr.

Quatorzième année — DIMANCHE 23 AOUT 1903 — Numéro 666

TERRIBLE CATASTROPHE DU MÉTROPOLITAIN
Découverte des premiers cadavres

10 AOÛT

INCENDIE TRAGIQUE DANS LE MÉTRO

Le 10 août, un incendie se déclare sur la ligne 2 du métro à Paris, à la station Barbès. D'abord circonscrit, il reprend à la station Ménilmontant. Les passagers doivent alors descendre à la station Couronnes. Certains demandent au conducteur de les rembourser. La fumée de l'incendie surgit alors dans la station ; 84 passagers fuient vers l'extrémité du quai, sans issue, et meurent asphyxiés.

1903

10 DÉCEMBRE

PIERRE ET MARIE CURIE TRAVAILLENT SUR LA RADIOACTIVITÉ

Le 10 décembre, le prix Nobel de physique couronne Henri Becquerel, Pierre et Marie Curie pour leurs travaux sur la radioactivité et la découverte du radium. Marie Curie sera la première femme à occuper une chaire dans l'enseignement supérieur en 1906 ; elle recevra le prix Nobel de chimie en 1911.

Cette année-là aussi… Le 19 janvier, création de l'Académie des Goncourt. **…** 8 mai : Paul Gauguin meurt dans le village d'Atuona, dans l'île d'Hiva-Oa, aux Marquises. **…** Le 1er juillet, départ du premier Tour de France cycliste. Au terme d'une course de 2 428 kilomètres, Maurice Garin remporte l'épreuve.

1904

18 AVRIL

JEAN JAURÈS FONDE *L'HUMANITÉ*

Le 18 avril paraît le premier numéro du journal *l'Humanité,* qui a pour sous-titre *Journal socialiste quotidien.* Jean Jaurès en est le fondateur et le directeur. Parmi les rédacteurs, on trouve Aristide Briand et René Viviani, futurs présidents du Conseil, et, parmi les collaborateurs, figurent Léon Blum, Octave Mirbeau, Tristan Bernard, Anatole France, Jules Renard.

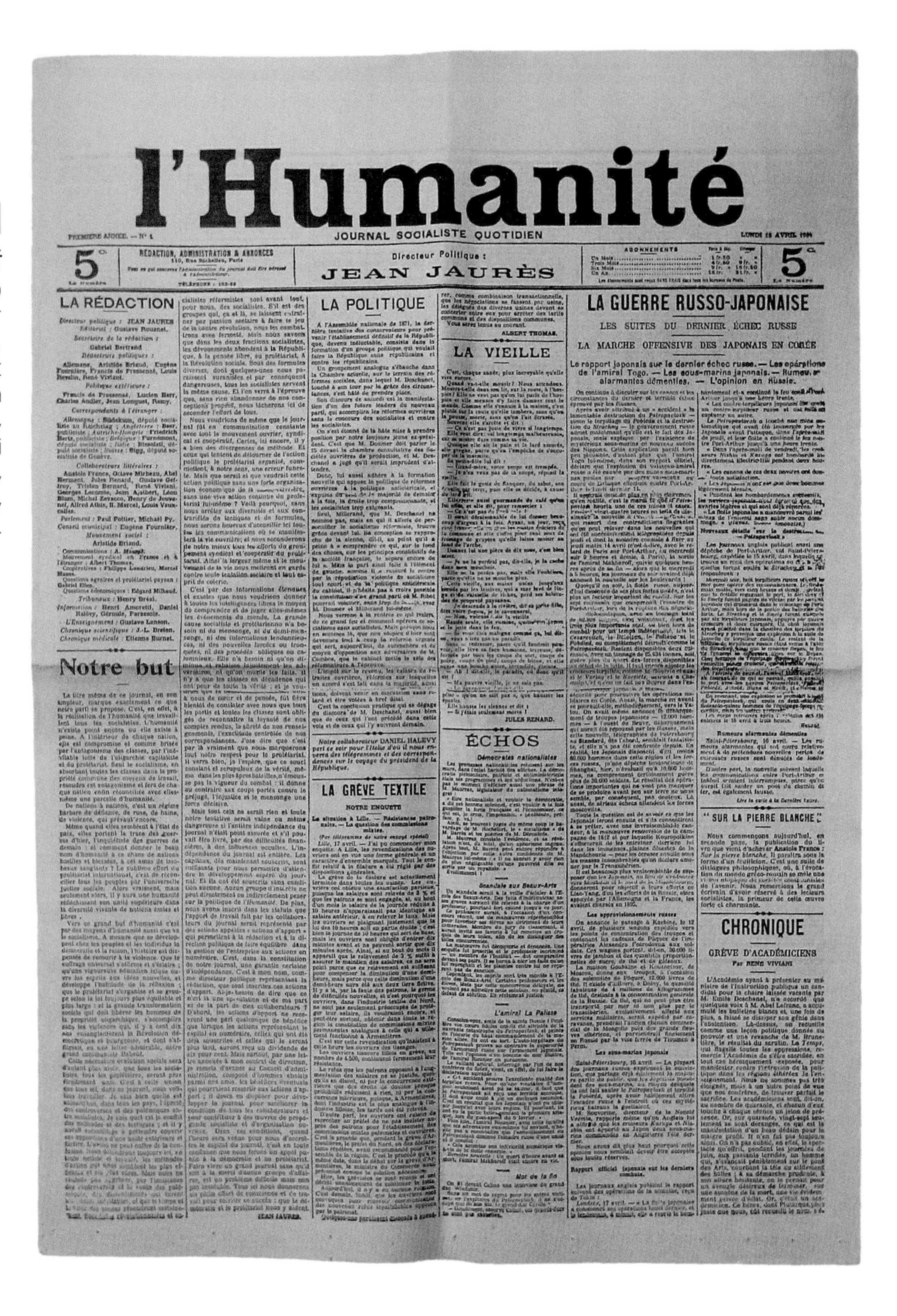

l'Humanité

JOURNAL SOCIALISTE QUOTIDIEN

PREMIÈRE ANNÉE. — N° 1

LUNDI 18 AVRIL 1904

5 c. Le Numéro

RÉDACTION, ADMINISTRATION & ANNONCES

Directeur Politique : JEAN JAURÈS

ABONNEMENTS

LA RÉDACTION

Notre but

JEAN JAURÈS.

LA POLITIQUE

ALBERT THOMAS.

LA GRÈVE TEXTILE

LA VIEILLE

JULES RENARD.

ÉCHOS

LA GUERRE RUSSO-JAPONAISE

LES SUITES DU DERNIER ÉCHEC RUSSE

LA MARCHE OFFENSIVE DES JAPONAIS EN CORÉE

« SUR LA PIERRE BLANCHE »

CHRONIQUE

GRÈVE D'ACADÉMICIENS

Par RENÉ VIVIANI

Cette année-là aussi...
Du 1er au 18 juin, première exposition personnelle du peintre Henri Matisse, chez Ambroise Vollard.

1905

9 DÉCEMBRE

LES BIENS DES ÉGLISES DEVIENNENT LA PROPRIÉTÉ DE L'ÉTAT

Le 9 décembre, Aristide Briand fait voter la loi de Séparation des Églises et de l'État, qui met fin au concordat de 1801. Elle précise qu'il sera procédé aux inventaires des objets de culte et du mobilier des églises, afin de les transmettre aux associations cultuelles créées légalement. Cette décision jette le trouble chez les catholiques et provoque de nombreuses manifestations.

Cette année-là aussi... Le 31 mars, à Tanger, l'empereur Guillaume II d'Allemagne s'oppose de façon spectaculaire aux visées de la France sur le Maroc. C'est le « coup de Tanger », qui réveille la germanophobie française. **...** Le 15 juin, le rapide Paris-Nice est inauguré par la Compagnie des chemins de fer de Paris à Lyon et à la Méditerranée (PLM) : 18 h 45 min de trajet. **...** Le 15 juillet, Maurice Leblanc publie son premier *Arsène Lupin* dans un magazine illustré de lecture *Je sais tout*. **...** À la fin de 1905, la France compte 21 523 voitures. Le département de la Seine possède le plus grand nombre de voitures, soit 4 627. La Gironde n'en possède que 342.

1906

Dix-Huitième année. — N° 894. Huit pages : CINQ centimes Dimanche 25 Mars 1906.

Le Petit Parisien

TOUS LES JOURS
Le Petit Parisien
(SIX pages)
5 centimes
CHAQUE SEMAINE
LE SUPPLÉMENT LITTÉRAIRE
5 centimes

SUPPLÉMENT LITTÉRAIRE ILLUSTRÉ

DIRECTION : 18, rue d'Enghien (10e), PARIS

ABONNEMENTS
PARIS ET DÉPARTEMENTS :
12 mois, 4 fr. 50. 6 mois, 2 fr. 2
UNION POSTALE :
12 mois, 5 fr. 50. 6 mois, 3 f

LA CATASTROPHE DE COURRIÈRES

La Population affolée autour des Puits en Feu est maintenue par les Gendarmes

10 MARS

EXPLOSION DANS UNE MINE DE COURRIÈRES

Vendredi 9 mars, à Courrières dans le Pas-de-Calais, un incendie s'est déclaré depuis plusieurs jours dans une mine où travaillent plus de 1 700 mineurs, à plus de 300 mètres de profondeur. La direction refuse de tenir compte des risques d'explosion. Celle-ci survient le samedi 10 mars, à 6 h 34 : 1 099 mineurs y trouvent la mort. Les grèves qui suivent aboutissent à l'adoption du repos hebdomadaire.

Le 10 mars 1906, 1 099 mineurs trouvent la mort

1906

MARS

FUNÉRAILLES DES MINEURS DE COURRIÈRES
Lors des obsèques des victimes de la catastrophe de Courrières, l'ingénieur en chef et le directeur de la Compagnie des mines sont hués par les 15 000 personnes présentes et doivent quitter le cimetière. Plus tard, Clemenceau envoie 30 000 militaires pour faire cesser la grève. Après un grand nombre d'affrontements, de brutalités et d'arrestations, le travail reprend fin avril.

Cette année-là aussi... Le 19 avril, Pierre Curie meurt renversé accidentellement par un camion hippomobile. ... Le 12 juin, les premiers omnibus automobiles à roues bandées de caoutchouc et à moteur à explosion sont mis en service.

lors d'une explosion tragique dans une mine de Courrières.

1906

21 JUILLET

RÉHABILITATION DU CAPITAINE DREYFUS

Accusé à tort d'avoir divulgué des secrets militaires à l'Allemagne, écroué le 15 octobre 1894, le capitaine Dreyfus est condamné à la dégradation militaire et à la déportation à perpétuité. Une fois le coupable découvert, Dreyfus est rejugé à Rennes et... condamné de nouveau ! Il est réhabilité le 13 juillet 1906 : la Cour de cassation a cassé sans renvoi le jugement du tribunal de Rennes. Samedi 21 juillet, Alfred Dreyfus vient de recevoir des mains du général Gillain la croix de chevalier de la Légion d'honneur.

Cette année-là aussi... Le 23 octobre, Alberto Santos-Dumont (1873-1932) vole à Bagatelle sur 60 mètres et atteint 3 mètres d'altitude.

1907

JUIN

MARCELIN ALBERT ACCLAMÉ PAR LES VITICULTEURS

La loi du 28 janvier autorisant le sucrage du vin a provoqué une surproduction artificielle et une chute des cours. Un comité de défense viticole est créé par Marcelin Albert, cafetier et vigneron à Argeliers dans le département de l'Aude. Les 9 et 10 juin, 500 000 manifestants se rassemblent à Montpellier. D'autres manifestations ont lieu entre les 17 et 26 juin à Perpignan, Narbonne et Béziers.

Cette année-là aussi... Le 13 juillet, une loi autorise les femmes à disposer elles-mêmes de leur salaire. Cependant, le mari conserve le droit de refuser que son épouse exerce une profession.

1908

13 JANVIER

L'AVIATEUR HENRI FARMAN

Les engins volants commencent à porter leur adjectif en toute légitimité : le 13 janvier 1908, l'aviateur Henri Farman (1874-1958) parvient à effectuer un vol de 1 kilomètre en circuit fermé à bord de son biplan Voisin-Farman n° 1, suivi d'un atterrissage sans encombre. Cette performance lui permet d'empocher les 25 000 francs (près de 90 000 euros) qu'avaient promis deux mécènes à qui accomplirait cet exploit.

1908

4 JUIN

TRANSFERT DES CENDRES D'ÉMILE ZOLA AU PANTHÉON
Émile Zola, fervent défenseur de Dreyfus, meurt le 29 septembre 1902. Lors de ses obsèques civiles et nationales, le 5 octobre, Anatole France termine son oraison funèbre par « Il fut un moment de la conscience humaine ». Six ans plus tard, le 4 juin, lors du transfert de ses cendres au Panthéon, un journaliste antidreyfusard tire sur Alfred Dreyfus qui assiste à la cérémonie, le blessant au bras.

Cette année-là aussi... Le 21 septembre, au Mans, Wilbur Wright effectue un vol de 1 h 31 min et 25 s sur 90 kilomètres.

1909

11 JUIN

TREMBLEMENT DE TERRE DANS LES BOUCHES-DU-RHÔNE

Le 11 juin, à 21 h 15, un fort tremblement de terre secoue le sud-est de la France, et dévaste une grande partie du département des Bouches-du-Rhône. De nombreux bâtiments s'effondrent, causant la mort de 46 personnes. On dénombre plus de 250 blessés. Calade, Éguilles, Lambesc et Rognes sont des lieux particulièrement endommagés.

1909

25 JUILLET

LOUIS BLÉRIOT FÉLICITÉ À SON ARRIVÉE EN ANGLETERRE

Le journal *Daily Mail* promettant 25 000 francs-or à qui franchira le premier la Manche à bord d'un plus lourd que l'air, l'ingénieur Louis Blériot relève le défi. Il décolle le 25 juillet, près de Calais. Après avoir volé durant trente-huit minutes sur son Blériot XI à une altitude de 100 mètres, il atterrit près de Douvres. Une foule immense l'y acclame. Le lendemain, il est reçu par le roi d'Angleterre.

Cette année-là aussi… Le 7 décembre, une loi garantissant le versement du salaire tous les quinze jours pour les ouvriers, tous les mois pour les employés, est votée.

1910

JANVIER

INONDATIONS DANS LA CAPITALE

Il pleut tellement que la France subit de nombreuses inondations. Celle de Paris est spectaculaire : le 20 janvier, la circulation fluviale est arrêtée. Le 23, l'eau submerge les quais trop peu élevés, elle se déverse dans les stations de métro, envahit les rues. Plus de 20 000 immeubles sont inondés. Des constructions s'affaissent. La décrue commence le 29 janvier, elle dure plus d'un mois. La remise en état de la capitale coûtera près de 1 milliard de nos euros.

Cette année-là aussi... Le 10 février, le paquebot français *Général Chanzy* assurant la liaison Marseille-Alger coule dans l'archipel des Baléares, faisant 155 morts.

JANVIER 1910 PRÈS DE LA GARE DE LYON, LE QUAI DE LA RÂPÉE EST ENTIÈREMENT ENVAHI PAR LA SEINE.

1911

23 NOVEMBRE

CATASTROPHE FERROVIAIRE À MONTREUIL-BELLAY
Le 23 novembre, au passage du train Angers-Poitiers, la pile centrale du pont franchissant la rivière Thouet près de Montreuil-Bellay s'affaisse. Les wagons plongent dans le cours d'eau avec leurs voyageurs. Cet accident ferroviaire fait 16 morts.

Le Petit Journal

ADMINISTRATION
61, RUE LAFAYETTE, 61
Les manuscrits ne sont pas rendus
On s'abonne sans frais dans tous les bureaux de poste

5 CENT. SUPPLÉMENT ILLUSTRÉ 5 CENT.

23me Année — Numéro 1.121

DIMANCHE 12 MAI 1912

ABONNEMENTS

	SIX MOIS	UN AN
SEINE et SEINE-ET-OISE..	2 fr.	3 fr. 50
DÉPARTEMENTS..........	2 fr.	4 fr. »
ÉTRANGER	2 50	5 fr. »

28 AVRIL

MORT DE JULES BONNOT

Le 28 avril, Jules Bonnot, chef d'une bande d'anarchistes qui avait terrorisé la région parisienne en multipliant meurtres et braquages, est encerclé dans son repaire de Choisy-le-Roi que la police fait dynamiter. Bonnot, blessé, meurt quelques heures plus tard.

AVRIL 1912 LA FOULE S'AMASSE AUTOUR DE LA MAISON OÙ S'ÉTAIT RÉFUGIÉ BONNOT.

1913

17 JANVIER

ÉLECTION DE RAYMOND POINCARÉ
Le 17 janvier, Raymond Poincaré est élu président de la République par un collège électoral de grands électeurs, selon la Constitution de la IIIe République : 483 voix se prononcent en sa faveur contre 269 pour Jules Pams, ministre de l'Agriculture et candidat de Clemenceau. On voit ici Poincaré en famille à la une du *Petit Journal*.

Le Petit Journal

ADMINISTRATION
61, RUE LAFAYETTE, 61
Les manuscrits ne sont pas rendus
On s'abonne sans frais dans tous les bureaux de poste

5 CENT. SUPPLÉMENT ILLUSTRÉ 5 CENT.

24me Année — Numéro 1.159

DIMANCHE 2 FÉVRIER 1913

ABONNEMENTS

	SIX MOIS	UN AN
SEINE et SEINE-ET-OISE	2 fr.	3 fr. 50
DÉPARTEMENTS	2 fr.	4 fr. »
ÉTRANGER	2 50	5 fr. »

LE NOUVEAU PRÉSIDENT DE LA RÉPUBLIQUE DANS SA FAMILLE

M. Raymond Poincaré — M. et Mme Lucien Poincaré
Mme Raymond Poincaré — Mme Antoni Poincaré

Cette année-là aussi… Le 29 mai, première représentation houleuse, et même tumultueuse, du *Sacre du printemps*, de Stravinsky, au Théâtre des Champs-Élysées. … On compte seulement 1 000 kilomètres de routes goudronnées sur les 36 000 kilomètres de routes du territoire français.

1913

23 SEPTEMBRE

ROLAND GARROS FRANCHIT LA MÉDITERRANÉE EN AVION
Le 23 septembre, Roland Garros, aviateur français, effectue la première traversée de la Méditerranée en avion : il rallie Fréjus à Bizerte en 7 h 53 min. Au début de la Grande Guerre, il met au point un dispositif de tir à travers l'hélice. Il trouvera la mort le 5 octobre 1918, lors d'un combat aérien, son Spad touché par un Fokker muni du dispositif qu'il avait mis au point...

LA FRANCE EN CHANSONS

Au début du XXe siècle, l'optimisme se décline sur tous les tons en France, y compris sur ceux de la chanson. La gaieté l'emporte. On chante, on s'époumone. Le 18 novembre 1902, à la Scala, salle de music-hall du 13 boulevard de Strasbourg, à Paris, Félix Mayol, né à Toulon, crée la chanson *Viens, Poupoule!* qui devient un immense succès.

Les artistes se produisent au café-concert, le « caf'conc' », né au XIXe siècle. On y paie en consommations le plaisir d'entendre et de voir les vedettes de l'époque, les comiques troupiers, entre autres... Ceux-ci interprètent des monologues inspirés par la vie du soldat, appelé aussi le « tourlourou », ou des chansons comiques.

À l'Éden-Concert, par exemple, Polin – Pierre-Paul Marsalès – offre à ses auditeurs et à la France entière des refrains repris en chœur : *La Caissière du grand café, L'Ami bidasse, La Petite*

1 | ARISTIDE BRUANT
AMI DE TOULOUSE-LAUTREC, qui l'a immortalisé avec son grand chapeau noir et son écharpe rouge, le créateur de *Nini Peau d'chien,* Aristide Bruant, légende de la butte Montmartre, interprète en 1911 *Rue Saint-Vincent.*

2 | *LA MADELON*
EN DÉCEMBRE 1914, Charles-Joseph Pasquier, Bach de son nom de scène, est mobilisé. Un soir, il interprète l'une des chansons qu'il avait créées au caf'conc', le 23 avril de la même année : *Quand Madelon.* Le succès est immédiat. *La Madelon* est surnommée « La Marseillaise des tranchées » !

1

2

Tonkinoise (« Ma tonkiki, ma tonkiki, ma tonkinoise… »). Le succès est tel que Polin est appelé « le premier tourlourou de France ».
À l'Eldorado, Charles-Armand Ménard, dit Dranem, « roi de la chanson idiote », fait mourir de rire son auditoire avec *Le Trou de mon quai* ou *Les P'tits pois*. Un critique de l'époque en parle ainsi : « Il est grotesque. Qu'importe ! Il peut raconter tout ce qu'il voudra, on se divertit de sa grimace… L'on rit franchement ! »

L'ODE AU GRAMOPHONE

C'est aussi le temps des vocations précoces : le 12 décembre 1901, sur la scène du Casino des Tourelles, un caf'conc' de plein air dans le XXe arrondissement de Paris, débute un adolescent de douze ans : Maurice Chevalier !
On entend aussi, en ce temps-là, *Ode au gramophone*. L'interprète de cette chanson, François Derodé, y rend hommage à Émile Berliner, un Allemand installé aux États-Unis, qui a fait breveter, en 1894, un instrument permettant de lire les disques au moyen d'un moteur à ressort actionné par une manivelle : le gramophone.

RAGTIME ET FOX-TROT

Le grand rival des comiques troupiers s'appelle Harry Fragson. Il est né en Angleterre, à Soho, en 1869. Il a débuté à Paris en 1891, chantant face au public tout en s'accompagnant au piano. Vedette du Moulin-Rouge, il a créé des succès durables : *Ah c'qu'on s'aimait* ou *Je connais une blonde*. Mais son nom demeure surtout attaché au ragtime, qu'il importe en France, et à la danse qui lui est associée : le fox-trot.

SOUS LES PONTS DE PARIS

À Suresnes, à Charenton, on construit à la hâte des caf'conc' pour ceux qui n'ont pas le temps de venir à Paris. C'est la fête sur les bords de la Seine ! On chante à tue-tête le succès créé en 1913 par Jean Rodor et Vincent Scotto, interprété par Georgel, mèche à la Mayol bien plantée sur le front : *Sous les ponts de Paris*…

3 | *LA PAIMPOLAISE*

EN 1906, dix ans après avoir été chantée par Mayol au Concert parisien, *La Paimpolaise* est enfin enregistrée sur une galette de cire par son auteur-compositeur, Théodore Botrel. Il avoue que sa jeune « Paimpolaise » n'existe pas, et qu'il s'est inspiré du roman de Pierre Loti *Pêcheur d'Islande*.

4 ET 5 | *VIENS, POUPOULE !*

« VIENS, POUPOULE, viens, Poupoule, viens ! / Quand j'entends des chansons, / Ça me rend tout polisson. » La France des guinguettes se gargarise de ce refrain boute-en-train…

3

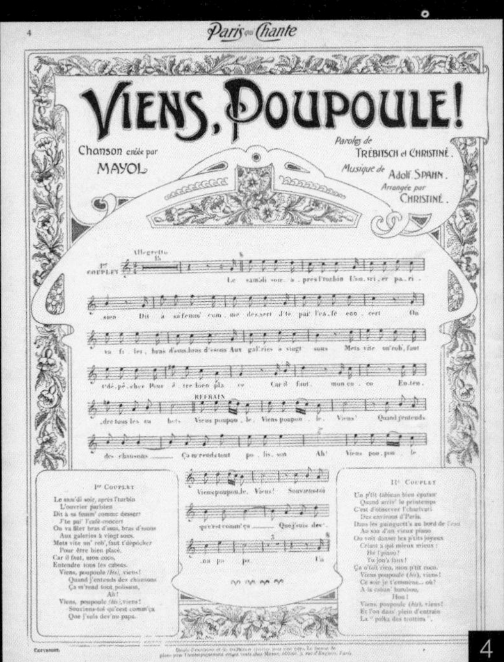

4

5

SOLDATS DANS LES TRANCHÉES DURANT LA GRANDE GUERRE.

LA GRANDE GUERRE

La défaite de 1870 contre Bismarck, ses Prussiens et leurs alliés allemands n'a jamais été admise en France. À l'humiliation de la défaite s'est ajoutée l'amputation du territoire : l'Alsace et une partie de la Lorraine ont gonflé la frontière occidentale des Germains. Inadmissible ! L'esprit de revanche se développe pendant plus de quarante ans, marqués par des turbulences de toutes sortes, dont l'affaire Dreyfus qui divise le pays sur le sort d'un innocent. Année 1914 : la guerre éclate. Elle devait être courte et joyeuse. Elle devient monstrueuse, interminable. L'Alsace et la Lorraine sont restituées à la France, qui porte, sur chacun de ses monuments aux morts, le terrible prix de la « victoire ».

Le Petit Journal

ADMINISTRATION
61, RUE LAFAYETTE, 61
Les manuscrits ne sont pas rendus
On s'abonne sans frais dans tous les bureaux de poste

5 CENT. SUPPLÉMENT ILLUSTRÉ 5 CENT.

25me Année — Numéro 1.219

DIMANCHE 29 MARS 1914

ABONNEMENTS

	SIX MOIS	UN AN
SEINE et SEINE-ET-OISE	2 fr.	3 fr.
DÉPARTEMENTS	2 fr.	4 fr.
ÉTRANGER	2 50	5 fr.

Tragique épilogue d'une querelle politique

Mme CAILLAUX, FEMME DU MINISTRE DES FINANCES, TUE A COUPS DE REVOLVER M. GASTON CALMETTE DIRECTEUR DU « FIGARO »

16 MARS

ASSASSINAT DU DIRECTEUR DU *FIGARO*

Le 16 mars, Henriette Caillaux, femme du ministre des Finances Joseph Caillaux, opposé à la guerre et favorable à un rapprochement avec l'Allemagne, entre dans le bureau du directeur du journal *Le Figaro,* Gaston Calmette, le vise avec un revolver et le tue. Calmette avait mené contre Caillaux une violente campagne de diffamation, afin de faire barrage aux opposants à la revanche contre l'Allemagne.

28 JUIN

L'ARCHIDUC FRANÇOIS-FERDINAND EST TUÉ À SARAJEVO

Le 28 juin, un étudiant serbe, Gavrilo Princip, assassine à Sarajevo l'archiduc héritier d'Autriche-Hongrie, François-Ferdinand, et son épouse, la duchesse de Hohenberg – l'Autriche accuse la Serbie d'avoir organisé l'attentat. Cet assassinat va déclencher la Première Guerre mondiale en précipitant le jeu des alliances entre les nations européennes.

1914

31 JUILLET

ASSASSINAT DE JEAN JAURÈS

Le 31 juillet, l'Allemagne lance un ultimatum à la Russie et à la France. Dans la soirée, la Belgique lance la mobilisation générale à cause de la menace allemande. Jean Jaurès tente désespérément d'enrayer la marche à la guerre. À 21 h 40, il se rend au *Café du Croissant,* rue Montmartre, où il est assassiné. L'Allemagne déclare la guerre à la France le 3 août.

6 Pages — 5c

l'Humanité

JOURNAL SOCIALISTE

Directeur Politique : JEAN JAURÈS

JAURÈS ASSASSINÉ

JEAN JAURÈS

LOUIS DUBREUILH.

SA VIE

A NOTRE DIRECTEUR

LA RÉDACTION

LETTRE du président de la République à Mme Jaurès

R. POINCARÉ.

LE MANIFESTE DU GOUVERNEMENT

GROUPE SOCIALISTE AU PARLEMENT

LA FÉDÉRATION DE LA SEINE

L'ASSASSINAT

LA MORT

Alors qu'il essayait d'enrayer la marche à la guerre,

31 JUILLET

FOULE REGROUPÉE DEVANT LE *CAFÉ DU CROISSANT*
Le 31 juillet, la foule est massée devant le *Café du Croissant*. Jaurès, qui y avait invité trois amis à dîner, s'était installé le dos à la rue. Alors qu'il dégustait une tarte aux fraises, se penchant pour voir une photo qu'on lui tendait, Raoul Villain surgit de derrière un rideau et lui tira deux balles dans la tête.

Jean Jaurès est assassiné au *Café du Croissant*, à Paris.

1914

Cette année-là aussi… Le 2 juillet, vote de la loi de finances instaurant l'impôt sur le revenu des personnes physiques, qui avait été préparée par Joseph Caillaux avant sa démission. **…** Le 18 septembre, les armées allemande, française et britannique tentent de se déborder mutuellement. Les Allemands cherchent à atteindre Dunkerque, Boulogne et Calais. La ligne de front se stabilise.

12 SEPTEMBRE

LES TAXIS DE LA MARNE

Le 12 septembre, la contre-offensive lancée par Joffre parvient à arrêter l'avance allemande sur les bords de la Marne, à 50 kilomètres de Paris. Les taxis parisiens – rebaptisés taxis de la Marne –, réquisitionnés pour le transport des troupes, contribuent à cette victoire.

1914

TROUPE DE FANTASSINS FRANÇAIS
Des fantassins traversent une petite ville, armés du fusil Lebel et de la baïonnette de 1886. Leur pantalon est rouge garance, ainsi que le sommet de leur képi, ce qui en fait des cibles faciles pour les Allemands dès les premiers engagements. Inadapté à la chaleur comme au froid, l'équipement des soldats ne sera modifié qu'en 1915.

Cette année-là aussi… Le 15 décembre, la 4e armée française lance la première bataille de Champagne. Elle va durer jusqu'en mars 1915. La guerre de mouvement se termine, remplacée par celle de tranchées dont près de 700 kilomètres, creusés à la hâte, relient la mer du Nord à la Suisse.

LA CUISINE ROULANTE
Les « cuistots » de la cuisine roulante préparent dans les cantonnements la nourriture destinée aux soldats. Cette « popote » est livrée aux avant-postes avec des rations de « pinard », un vin de qualité fort moyenne qui réconforte malgré tout le poilu dans sa tranchée.

MOMENT DE DÉTENTE POUR LES SOLDATS
Dans les cantonnements – ici, dans l'Oise -, les soldats se détendent et se restaurent. Les premières lignes ne sont jamais bien loin. Fusils et baïonnettes demeurent à portée de main. On aperçoit sur la table des « bidons », indispensables à la survie du poilu : ils contiennent de l'eau, mais plus souvent de l'eau-de-vie : la gnôle dans l'argot militaire de l'époque.

1916

SOLDATS AU FORT DE VAUX
Dans les trous d'obus lancés par les Allemands sur le fort de Vaux près de Verdun depuis février, les soldats français résistent de façon héroïque, au prix de combats d'une violence inouïe. La résistance farouche du commandant Raynal et de ses hommes n'empêche pas le fort de tomber le 7 juin. Il sera repris par les Français le 2 novembre.

LA BATAILLE DE VERDUN
Dans une rue de Verdun, détruite par les bombardements, un attelage s'avance, seule trace de vie. La bataille de Verdun commence le 21 février et se termine le 19 décembre. Elle se déroule dans des conditions épouvantables. L'« enfer » de Verdun demeure le symbole de l'horreur guerrière. Les pertes humaines sont terribles : 300 000 morts et plus de 500 000 blessés.

1916

1er JUILLET

L'OFFENSIVE DE LA SOMME

Le 1er juillet, Joffre lance la grande offensive de la Somme. Français et Anglais – qui vont utiliser pour la première fois les chars d'assaut – tentent de faire reculer les Allemands. Le 18 novembre, l'offensive, qui a fait 1 200 000 morts, blessés et disparus – Français, Britanniques et Allemands – a permis aux Alliés d'avancer de 10 kilomètres.

12 AOÛT

LE PRÉSIDENT RAYMOND POINCARÉ AVEC LE GÉNÉRAL JOSEPH JOFFRE

Le 12 août, en pleine offensive de la Somme, le président de la République, Raymond Poincaré (à droite), et le général Joseph Joffre (au centre) partisan de l'engagement massif des forces armées, l'« offensive à outrance », très coûteuse en vies humaines, se rencontrent à Doullens, au nord d'Amiens.

1916

L'ENGAGEMENT DES FEMMES PENDANT LA GUERRE

Alors que des lois les assujettissent encore à leur mari, les femmes jouent un rôle de plus en plus important pendant la Grande Guerre : elles conduisent les ambulances, deviennent chef de gare, chef d'exploitation dans les fermes désertées par les hommes au front. Et dans les usines d'armement – ici à Cherbourg –, elles fabriquent des obus, des casques...

16 AVRIL

UNE TRANCHÉE SUR LE CHEMIN DES DAMES

Le 16 avril, le front n'ayant pas bougé, le général Nivelle lance une offensive qu'il espère décisive entre Cerny-en-Laonnois et Craonne, sur le Chemin des Dames, et qui fait près de 300 000 morts en six semaines, sans résultat. Cette boucherie inutile provoque des mutineries dans les rangs des soldats qui vivent l'horreur au quotidien dans les tranchées infestées de vermine et de rats.

L'offensive menée au Chemin des Dames est un échec meurtrier

MAI

L'INUTILE MASSACRE DES SOLDATS AU CHEMIN DES DAMES DÉCLENCHE DES MUTINERIES DANS LES TROUPES

Le 4 mai, après le massacre du Chemin des Dames, des soldats français refusent de repartir à l'attaque. Des actes de désobéissance affectent 68 divisions au total. Cette désobéissance est limitée au refus de monter de nouveau en ligne. Les responsables de ces mutineries sont jugés, plus de 500 d'entre eux sont condamnés à mort ; 49 sont exécutés.

et déclenche une véritable crise dans l'armée française.

1917

13 JUIN

ARRIVÉE DE JOHN JOSEPH PERSHING SUR LE SOL FRANÇAIS

Le général américain John Joseph Pershing arrive en France accompagné de son état-major le 13 juin. Les premières troupes américaines arrivent en France le 26 juin. Des centaines de milliers de soldats vont débarquer sur le Vieux Continent et soulager les armées alliées épuisées. L'intervention américaine est décisive.

Les troupes américaines débarquent sur le sol français,

1917

26 JUIN

LES TROUPES AMÉRICAINES ARRIVENT EN FRANCE
Les troupes américaines débarquent à Saint-Nazaire, Bordeaux, Le Havre, Caen, Saint-Malo, Rouen, Les Sables-d'Olonne, La Rochelle, Rochefort, Bayonne, Marseille, Toulon... Les Européens leur fournissent une grande partie des chars, canons et avions de combat. La population civile est enthousiaste. Elle découvre l'abondance, le tabac blond, le chewing-gum...

LES SIDE-CARS, INDISPENSABLES DURANT LA GUERRE
Le side-car – d'abord un panier en osier ajouté à la moto – se développe à partir de 1903. La première course de ce genre de véhicule a lieu en 1911. Utilisé comme véhicule de liaison pendant la Grande Guerre, le side-car devient indispensable. Il sert même d'ambulance. L'avance des troupes américaines est facilitée par son emploi.

apportant aux armées alliées un soutien décisif.

1917

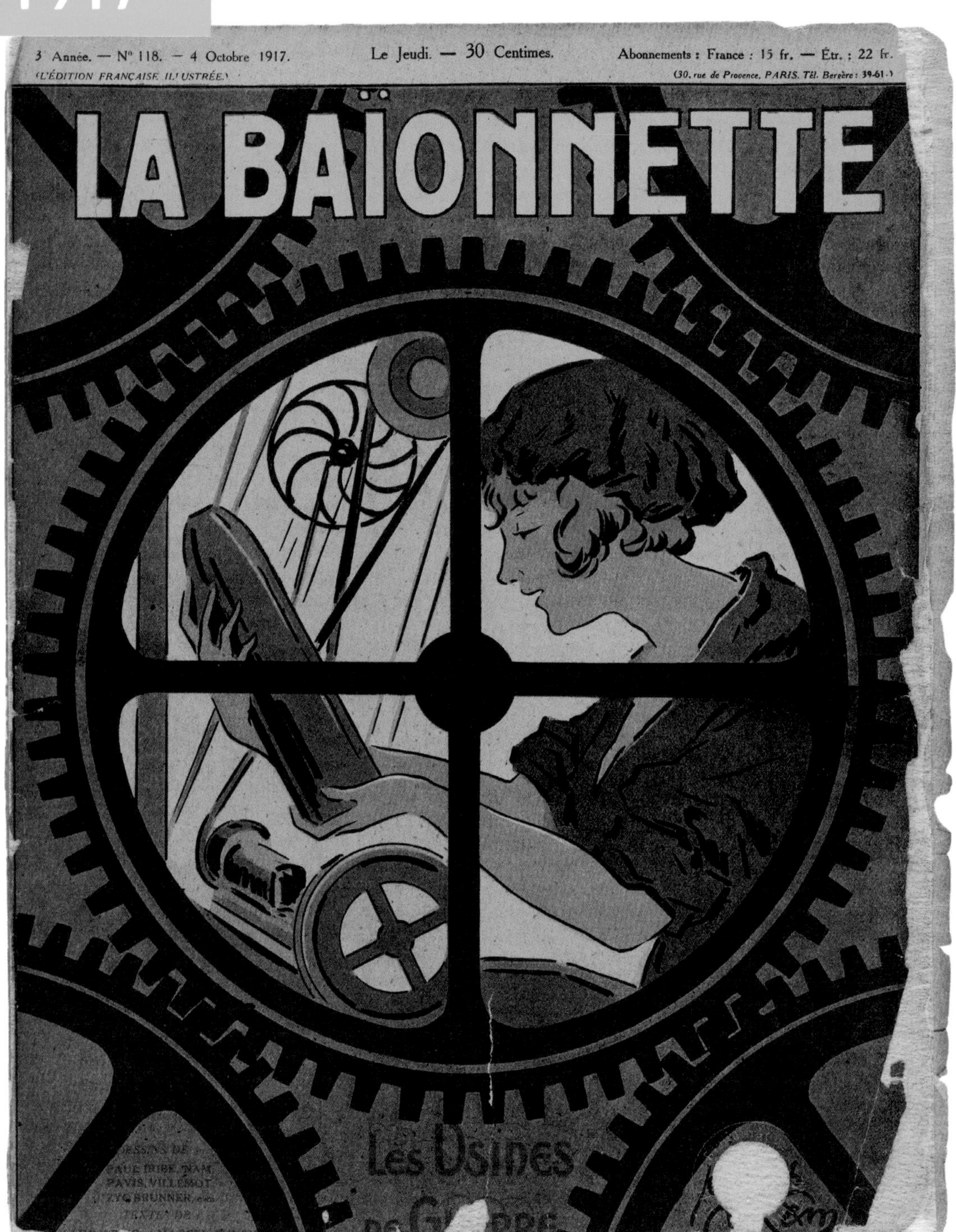
3 Année. — N° 118. — 4 Octobre 1917. Le Jeudi. — 30 Centimes. Abonnements : France : 15 fr. — Étr. : 22 fr.

(L'ÉDITION FRANÇAISE ILLUSTRÉE.) (30, rue de Provence, PARIS. Tél. Bergère : 39-61.)

LA BAÏONNETTE

Dessins de
Paul Iribe, Nam,
Pavis, Villemot,
Zyg Brunner, etc.
Texte de

Les Usines

4 OCTOBRE

UNE DU JOURNAL SATIRIQUE *LA BAÏONNETTE*
La Baïonnette, journal satirique créé par l'illustrateur Henri Maigrot, dit Henriot, paraît de 1915 à 1920. De 1915 à 1918, il soutient le moral des troupes en ridiculisant les Allemands, en stigmatisant leur bêtise ou en se moquant de l'empereur allemand Guillaume II. Il souligne ici le rôle des femmes dans les usines d'armement.

15 OCTOBRE

EXÉCUTION DE MATA HARI

Le 15 octobre, Margaretha Geertruida Zelle, dite Mata Hari, née aux Pays-Bas, polyglotte, danseuse, courtisane et agent double, est fusillée dans les fossés de Vincennes pour intelligence avec l'ennemi en temps de guerre. Les preuves de sa trahison au profit de l'Allemagne sont minces, mais le contexte de l'époque détermine l'issue fatale de son procès.

EXCELSIOR

L'ESPIONNE MATA-HARI A PAYÉ HIER POUR LES CRIMES QU'ELLE AVAIT AVOUÉS

Elle a été fusillée à six heures du matin au polygone de Vincennes.

MATA-HARI

1918

1ER AVRIL

CONVOI MILITAIRE FRANÇAIS
Le 1er avril 1918, les camions américains de marque Pierce-Arrow transportent des troupes de Vic-sur-Aisne à Soissons pour répondre à une offensive allemande, débutée le 15 mars. Le 21 mars, 65 divisions ennemies ont attaqué d'Arras à La Fère. Bientôt, Paris va être à leur portée.

UN CHAR RENAULT
Plus de 2 000 chars Renault vont entrer en action jusqu'à la fin de la guerre. Les Allemands n'ont pas cru à l'efficacité de ce nouveau moyen de combattre, qui se révèle particulièrement efficace. D'un poids de 7 tonnes, long de 4 m, il atteint la vitesse de 8 km/h. Il est équipé d'une tourelle pivotant à 360°, et de canons mitrailleurs de 37 mm. Leur utilisation est décisive.

JUILLET

DES SOLDATS PARTENT POUR VILLERS-COTTERÊTS

Les troupes françaises se dirigent vers le front de Villers-Cotterêts. La seconde bataille de la Marne commence ; 1 000 chars, 600 avions sont utilisés. L'offensive allemande est contenue. La contre-attaque de la Xe armée de Mangin repousse les Allemands.

Cette année-là aussi... Le 8 mars, dans son discours à la Chambre des députés, Georges Clemenceau, qui devient le « Père la Victoire », déclare : « Ma politique étrangère et ma politique intérieure, c'est tout un. Politique intérieure, je fais la guerre ; politique étrangère, je fais la guerre. Je fais toujours la guerre. »

1918

Cette année-là aussi... Le 29 mars, la chute d'un obus allemand sur l'église Saint-Gervais à Paris provoque la mort de 91 personnes. **...** Le 12 avril, cinq bombes tombent rue de Rivoli et font 27 morts. L'ensemble des bombardements sur la capitale jusqu'à la fin du mois d'avril coûte la vie à 256 personnes.

11 NOVEMBRE

SIGNATURE DE L'ARMISTICE

Le 11 novembre, à Rethondes, dans l'Oise, près de Compiègne, le maréchal Foch, commandant suprême des armées alliées, l'amiral Rosslyn Wemyss de la Royal Navy et le général Weygand, chef d'état-major de l'armée française, descendent du wagon où ils ont signé l'armistice à 5 h 15 du matin avec les représentants allemands. Le cessez-le feu est effectif à 11 h.

11 NOVEMBRE

CÉLÉBRATION DE LA VICTOIRE PLACE DE LA CONCORDE
Le 11 novembre, les Parisiens se rassemblent place de la Concorde pour fêter la victoire. Une victoire dont le bilan humain est terrible : en France, près de 1,5 million de morts, 5 millions de blessés… Et pour tous les pays belligérants : 18 millions de morts, et plus de 22 millions de blessés…

1919

28 JUIN

LE TRAITÉ DE VERSAILLES EST EN COURS DE NÉGOCIATION
Le 28 juin, le traité de Versailles est signé. L'Alsace et la Lorraine sont restituées à la France. Les Alliés occuperont la rive gauche du Rhin pendant quinze ans. L'Allemagne – jugée responsable – devra acquitter des réparations financières. Hors de la salle des négociations, des militaires suivent les négociations avec attention...

28 JUIN

LES ALLIÉS APRÈS LA SIGNATURE DU TRAITÉ
À l'issue de la signature du traité de Versailles, voici Vittorio Orlando, président du Conseil italien, David Lloyd George, Premier ministre du Royaume-Uni, Georges Clemenceau, le « Père la Victoire », et Woodrow Wilson, président des États-Unis.

1919

13-14 JUILLET

DÉFILÉ DE LA VICTOIRE SUR LES CHAMPS-ÉLYSÉES
Dans la nuit du 13 au 14 juillet, des dizaines de milliers de Français viennent se recueillir près de l'immense catafalque dressé sous l'Arc de triomphe, à Paris. Le défilé de la Victoire se déroule ensuite sur les Champs-Élysées. Les grands mutilés ouvrent le défilé. Puis viennent, en tête des troupes de toutes les nationalités, les maréchaux Joffre et Foch.

Cette année-là aussi... Le 28 avril, Genève est choisie pour siège de la Société des Nations ; créée à l'initiative des États-Unis, elle est destinée à arbitrer les conflits futurs et à garantir la paix. **...** Le traité de Versailles précise aussi que l'Empire austro-hongrois laisse la place à deux États de dimension modeste : l'Autriche et la Hongrie. De nouveaux États apparaissent : la Tchécoslovaquie, la Yougoslavie. La Roumanie s'agrandit. La Pologne redevient indépendante.

1928 LA DANSEUSE ET CHANTEUSE JOSÉPHINE BAKER.

LES ANNÉES FOLLES

La Grande Guerre est bien finie ! La vie reprend ses droits, on chante, on danse, on se reconstruit dans un monde d'abord saisi par la nostalgie de la Belle Époque, puis résolument ancré dans un présent riche de nouveautés prometteuses. Le caf'conc' disparaît, le music-hall, apparu au début du siècle, connaît alors son apogée. Un air d'Amérique souffle sur la France, on danse le charleston avec Joséphine Baker, on écoute du jazz à la radio. Pendant ce temps, le Cartel des gauches remplace la Chambre bleu horizon, le pacte Briand-Kellogg met la guerre hors la loi. Les avions volent plus haut, plus loin... Mais le franc s'écrase, dévalué de 80 % !

1920

18 FÉVRIER

PAUL DESCHANEL, PRÉSIDENT DE LA RÉPUBLIQUE

Le 18 février, Paul Deschanel est élu président de la République. Le jour de son élection, il s'adresse à Clemenceau en ces termes : « Vous avez gagné la guerre, nous gagnerons la paix. » Il n'en aura pas le temps : le 23 mai, il chute d'un train en marche ; par la suite, il est atteint de troubles mentaux qui le contraignent à la démission, le 21 septembre.

1920

23 SEPTEMBRE

ALEXANDRE MILLERAND SUCCÈDE À PAUL DESCHANEL
Le 23 septembre, Alexandre Millerand, président du Conseil de Paul Deschanel, devient le douzième président de la République. Ce fils de négociant en drap, devenu un important avocat d'affaires en même temps que journaliste, a commencé sa carrière d'homme politique à gauche pour l'infléchir peu à peu vers la droite.

1920

11 NOVEMBRE

CÉRÉMONIE EN L'HONNEUR DU SOLDAT INCONNU

Le 11 novembre, le cercueil du Soldat inconnu, choisi parmi huit cercueils de combattants exposés dans la citadelle de Verdun, est installé au pied de l'Arc de triomphe après avoir reçu les honneurs au Panthéon (sur la photo). Il symbolise la douleur et le deuil du pays tout entier. À travers ce soldat dont on ne connaît pas l'identité, ce sont tous les soldats sacrifiés qui sont honorés.

Cette année-là aussi... Au congrès de Tours, la section française de l'internationale communiste, SFIC, qui deviendra le Parti communiste en 1943, naît d'une scission au sein de la SFIO.

1921

JUILLET

CAMILLE GUÉRIN ET ALBERT CALMETTE, CRÉATEURS DU VACCIN BCG
Après avoir longuement travaillé sur la vaccination antituberculeuse, notamment sur des bovidés, Camille Guérin, vétérinaire, et Albert Calmette, médecin, parviennent à obtenir une souche de bacilles atténués. Ainsi naît le BCG (bacille Calmette-Guérin). Les premières vaccinations humaines sont effectuées sur des nouveau-nés de l'hôpital de la Charité à Paris, avec succès. Voici Guérin et Calmette en 1932, 11 ans après l'invention du vaccin.

1922

Lundi 12 Mai 1919

AUX HALLES. — Le marché aux légumes est bien approvisionné et très actif, mais il n'y a pas de baisse sérieuse. Un peu de baisse sur le poulet de Bresse, mais les prix du chevreau et du lapin se sont relevés.

L'ADMISSION A NAVALE. — La limite d'âge supérieure, fixée temporairement à 20 ans au 1er janvier de l'année du concours pour les années 1914, 1915, 1916, 1917, 1918 et 1919, est maintenue à 20 ans pour le concours de 1920.

SURENCHÈRE

LES PETITES NOTES DU COMTE BROCKDORFF

Sa sollicitude s'étend au prolétariat du monde entier

Le comte de Brockdorff-Rantzau a rédigé deux nouvelles notes. Nous n'en connaissons pas les textes, parce qu'elles ont été portées au ministère des affaires étrangères samedi soir très tard, alors que M. Lloyd George était parti pour Fontainebleau et qu'on n'a pas pensé devoir les publier avant qu'elles fussent communiquées au premier ministre anglais.

Nous savons cependant que la première d'entre elles concerne les prisonniers de guerre et demande à introduire dans les clauses du traité certaines dispositions destinées à hâter le rapatriement, à faciliter le ravitaillement de ces prisonniers.

Quant à la seconde, elle est relative à la législation internationale du travail. Elle représente une surenchère sur le projet des alliés en posant la question de la collaboration directe des classes ouvrières au gouvernement. Elle a pour but de créer dans les partis socialistes une opinion favorable à l'Allemagne. Il est regrettable qu'elle soit signée par le comte de Brockdorff-Rantzau, dont la sollicitude pour le prolétariat ne date pas de très longtemps.

Le gouvernement témoignerait de meilleures dispositions

BERNE, 11 mai. — On mande de Berlin, 10 mai, aux journaux :

« Une dépêche de Francfort dit qu'il n'est pas impossible que tous les délégués à Versailles se rendent à Berlin pour délibérer directement avec les personnalités compétentes. La plupart retourneraient en tout cas à Versailles. Les négociations relatives à l'approvisionnement de l'Allemagne seront reprises prochainement.

» Le *Acht Uhr Abendblatt* apprend de source autorisée que le gouvernement fera tout ce qui est en son pouvoir pour négocier avec l'Entente. »

L'ALLIANCE FRANCO-AMÉRICAINE

« Elle ne fait, dit M. Wilson, que confirmer le pacte de la Ligue des nations. »

WASHINGTON, 11 mai. — La presse publie le télégramme suivant, adressé par le président Wilson à M. Tumulty, secrétaire général de la présidence :

Il n'y a heureusement ni mystère ni secret dans la promesse que j'ai faite ici au gouvernement.

J'ai promis de proposer au Sénat, sous réserve d'approbation du conseil de la Ligue des nations, une clause supplémentaire par laquelle nous conviendrons de prêter immédiatement assistance à la France dans le cas d'une attaque sans provocation par

LE SÉDUCTEUR

Quoi que Landru ait pu jeter dans l'étang des Bruyères ou dans l'étang Neuf, on n'y a rien trouvé malgré de patientes recherches

Les recherches effectuées, samedi, à l'étang des Bruyères, et, hier, dimanche, à l'Etang-Neuf, n'ont pas donné les résultats attendus.

Nous avons dit hier que les agents de la brigade fluviale avaient retiré de la vase, entre autres objets, un os et un bas. Or, un examen plus approfondi a fait reconnaître par la suite que l'os provenait d'un mouton et que le prétendu bas n'était qu'une simple chaussette. Quant aux deux pierres extraites des bas-fonds de l'étang des Bruyères, on pouvait croire qu'elles avaient servi à maintenir au fond de l'eau quelque macabre paquet jeté par Landru.

La vérité est moins romanesque. L'une de ces pierres a été lancée, il y a une semaine, par un inspecteur de la brigade mobile, dans le but de contrôler le témoignage du docteur Monteilhet, qui affirme, comme on sait, avoir entendu, une certaine nuit, il y a trois ans, tout près de là, un « ploc » suspect. Quant à l'autre pierre, on en ignore encore la provenance. Mais, somme toute, sa présence en cet endroit n'a rien de bien étrange.

Les efforts des agents de la brigade fluviale auraient mérité plus de succès. Ils ont passé, hier surtout, des heures désagréables à sonder, par une chaleur lourde, cette vase malodorante. Ils ont apporté dans cette

francs !... Il se renseigne. La seconde n'en a que huit mille, mais quoi ?... C'est la guerre ! et Landru en sera quitte pour la faire disparaître plus vite, ce qui advint, puisque le temps c'est de l'argent.

Rue de la Chine ! Voilà bien l'affaire d'un consul ! De juin à octobre 1915, l'idylle est brève. Mme Jaume, sur qui la médisance ne s'exerça jamais, n'eût certes pas écouté les fadaises d'un galant trop hardi, fût-il jeune et brillant. M. Cuchet, consul de France et officier d'académie, lui inspire toute confiance. Lui aussi divorce (le truc a réussi déjà à M. Emile). Comme ça se trouve ! Ainsi les premiers propos, exempts d'aucune frivolité, sont-ils ceux d'incompris appliqués à bâtir sur les ruines du douloureux passé.

Mme Jaume n'eût suivi nul autre que M. Cuchet à Gambais. L'y voici. A défaut de placard secret, le moderne Barbe-Bleue possède une malle, des tiroirs aussi, emplis de documents qui sont parfois des faux et de papiers trop authentiques, des papiers au nom de Landru, repris de justice, « tricard » et relégable.

Mme Jaume voudrait croire à son bonheur, et pourtant elle s'ennuie. Elle s'ennuie dans la villa isolée et peu meublée, où l'on vit surtout à la cuisine, comme chez les pauvres gens, près de l'âtre... c'est-à-dire la

25 FÉVRIER

L'ESCROC ET ASSASSIN HENRI-DÉSIRÉ LANDRU EST GUILLOTINÉ

Issu d'une famille de la moyenne bourgeoisie, Henri-Désiré Landru est né en 1869. Après des études chez les Frères, ses parents l'imaginent déjà prêtre, mais il se marie et fait quatre enfants. Parallèlement, il entame une série d'escroqueries qui vont le conduire au meurtre de 11 personnes. Au terme d'un procès qui tient la France en haleine, Landru est condamné à mort et guillotiné le 25 février.

1923

12 Pages 12 Pages

Le Petit Journal
illustré

HEBDOMADAIRE
61, rue Lafayette, Paris

PRIX : 0 fr. 30
26 Août 1923

L'heure du bain à Deauville

Il n'y a pas moins d'élégances sur la plage qu'à l'heure du porto, à la Potinière. Les baigneuses exhibent des maillots et des peignoirs rivalisant de somptuosité avec les robes des curieuses qui les regardent. Les personnalités à la mode, comme Georges Carpentier, M. Cornuché et le maire de Deauville ne dédaignent pas de se montrer à ce rendez-vous bien moderne.

LES PLANCHES DE DEAUVILLE
Deauville est devenue – grâce au duc de Morny – la cité de l'élégance vers le milieu du XIXe siècle. Afin que les femmes puissent se promener près de la plage sans que le sable empoussière leur robe, l'architecte Charles Adda construit en 1923 une promenade constituée de planches d'azobé, un bois exotique imputrescible, première étape vers le bain, dont se fait écho *Le Petit Journal*.

1923

26 MARS

DISPARITION DE SARAH BERNHARDT

Le 26 mars, disparaît la comédienne Sarah Bernhardt. « La Voix d'or » pour Victor Hugo, « La Divine » pour d'autres, mais aussi « La Scandaleuse » – car des observateurs bien informés lui prêtent de nombreuses liaisons –, Sarah Bernhardt demeure la plus grande tragédienne de tous les temps. Ses interprétations de *Phèdre* ou de *La Dame aux camélias* demeurent, selon les spécialistes, inégalées.

LA FEMME ET LES ANNÉES FOLLES

Les Années folles bouleversent l'image de la femme. Délivrée de son image de subordonnée des hommes, c'est elle qu'on voit rire, danser, chanter sur scène. On la croise sur les routes au volant d'une voiture. On la remarque aux terrasses des cafés où elle savoure un Byrrh en fumant une cigarette. La littérature lui offre le profil provocateur et conquérant de *La Garçonne,* dans le roman de Victor Margueritte, qui se vend à plus d'un million d'exemplaires. Cheveux plaqués, nuque et oreilles découvertes, allure fine, élégante, cette garçonne fait scandale. L'auteur en perd sa Légion d'honneur !

LA PETITE ROBE NOIRE

Qu'importe, pendant que les auditeurs de la TSF, branchée sur Radio Tour Eiffel, écoutent,

1 | LE MOULIN ROUGE

BÂTI EN 1889, temple de la Goulue et de Toulouse-Lautrec dans les années 1890, temple de l'opérette, incendié en 1915, rebâti en 1921, Le Moulin Rouge accueille Mistinguett en 1925, en meneuse de la revue... « Mistinguett »

2 | MISTINGUETT

NÉE EN 1875, Jeanne Bourgeois prend d'abord pour nom de scène Miss Helyett, puis Miss Tinguette, et enfin Mistinguett. Son personnage de Parisienne atteint son apogée dans les années 1920. Elle va chanter jusqu'aux États-Unis, où ses chouettes « gambettes » sont assurées pour 1 million de dollars !

larmes aux yeux, Berthe Sylva qui leur chante *Les Roses blanches,* Coco Chanel, dans son atelier de couture de la place Vendôme, crée la célèbre « petite robe noire », qui donne à la garçonne un charme d'enfer.
Le noir, réservé au deuil jusqu'alors, épouse au plus près la sensualité du corps féminin, et quitte Thanatos pour le plus séduisant des Eros : c'est un fourreau en crêpe de Chine, à manches trois-quarts, droit, sans col, irrésistible... Elle investit les garde-robes des élégantes, des sages et des frivoles des Années folles.

LE CHEVALIER SERVANT

Et les hommes ? Parlons de Maurice Chevalier : né en 1888, il devient le partenaire de Mistinguett en 1912. La valse renversante qu'ils dansent tous les deux dans La Revue aux Folies-Bergère marque le début de leur histoire d'amour, qui dure plus de dix ans. On retrouve Maurice Chevalier seul en scène en 1920, tête d'affiche du Casino de Paris. Il y interprète *J'n'ose pas, Oh, Maurice!* ou *Les P'tites Femmes.* De Mistinguett, dont il va se séparer, il dit : « Elle m'a tout appris, à me tenir en scène, à porter l'habit. »

« I'M'PREND MES SOUS... »

Et Mistinguett ? Elle va accepter cette situation en chantant un hymne pittoresque à son chevalier servant : *Mon homme,* écrit par Albert Willemetz et Maurice Yvain, et inspiré par... Maurice ! On y entend : « Je l'ai tell'ment dans la peau / Qu'j'en d'viens marteau... Ce n'est pas qu'il est beau, qu'il est riche ni costaud / Mais je l'aime, c'est idiot, / I'm'fout des coups, I'm'prend mes sous, / Je suis à bout... » – femme conquise plutôt que conquérante dans ce refrain, que la France amusée se plaît à reprendre. Une France qui danse le shimmy, le charleston, le black bottom... et se laisse inspirer par l'exploit de Charles Lindbergh, surnommé Lindy, pour créer le Lindy hop, sur un rythme endiablé, proche parent du rock, qui naîtra quelques décennies plus tard.

3 | JOSÉPHINE BAKER
JOSÉPHINE BAKER apparaît presque nue dans la *Revue nègre,* qui remporte un immense succès. L'année suivante, elle est meneuse de revue aux Folies-Bergère. Sa chanson *J'ai deux amours,* créée en 1930, lui vaut une audience internationale.

4 | COCO CHANEL
ISSUE d'une lignée de marchands ambulants établis à Saumur, Gabrielle Chasnel, dite « Coco Chanel », révolutionne la mode.

5 | KIKI DE MONTPARNASSE
ALICE PRIN, dite « Kiki », chanteuse, danseuse, peintre, actrice de cinéma fut aussi l'amante de nombreux artistes.

3

4

5

4 NOVEMBRE

SEZNEC CONDAMNÉ AU BAGNE À PERPÉTUITÉ

Né en 1878, Guillaume Seznec, maître de scierie à Morlaix, s'associe pour la revente de voitures de luxe au conseiller général du Finistère, Pierre Quéméneur. Ce dernier disparaît lors d'un voyage à Paris en compagnie de Seznec. Arrêté pour assassinat, Seznec crie son innocence, mais, le 4 novembre, il est condamné au bagne à perpétuité. En 1946, de Gaulle le gracie. Seznec, coupable ou non ? L'énigme demeure.

Cette année-là aussi... Le bilan économique de la Chambre bleu horizon, le bloc national, élue au lendemain de la guerre, n'étant guère positif, les électeurs le remplacent par le Cartel des gauches. **...** Du 4 mai au 27 juillet, les jeux Olympiques d'été se déroulent à Paris. Ils rassemblent 44 nations et plus de 3 000 athlètes. Le nageur Johnny Weissmuller rapporte aux États-Unis trois médailles d'or et une médaille de bronze.

1925

ALBERT EINSTEIN EN VISITE À LA SORBONNE
« Si ma théorie de la relativité est prouvée, l'Allemagne me revendiquera comme Allemand et la France déclarera que je suis un citoyen du monde. Mais, si ma théorie est fausse, la France dira que je suis un Allemand et l'Allemagne déclarera que je suis un Juif », aimait à dire Albert Einstein, ici reçu à la Sorbonne, alors qu'il vient de recevoir la prestigieuse médaille Copley, à Londres, pour ses recherches scientifiques.

6 JANVIER

CHARLES RIGOULOT : L'HOMME LE PLUS FORT DU MONDE
Le 6 janvier 1926, au vélodrome d'Hiver, près de la tour Eiffel, se déroule une compétition qui attire la foule : Ernest Cadine, vingt-neuf ans, champion olympique, et le jeune Charles Rigoulot, deux haltérophiles vedettes, vont s'affronter. Rigoulot ridiculise Cadine et bat le record du monde de l'arraché à deux bras : 142,5 kg ! Le public en délire lui décerne le titre de l'« Homme le plus fort du monde ».

20 MAI

CHARLES LINDBERGH S'APPRÊTE À QUITTER NEW YORK

Charles Lindbergh, ancien capitaine de l'armée américaine, fils d'immigrants suédois établis dans le Minnesota, se prépare à décoller de New York pour la traversée de 5 808 km qui le conduira à Paris. Son monoplan étant surchargé de réservoirs supplémentaires, il doit utiliser un périscope pour voir la piste, puis le ciel...

20 MAI

LE *SPIRIT OF SAINT LOUIS* TRAVERSE L'ATLANTIQUE

Ayant décollé le 20 mai de New York, l'aviateur Charles Lindbergh traverse le premier l'Atlantique d'ouest en est en 33 h 30 min sur son avion, le *Spirit of Saint Louis*. Accueilli triomphalement au Bourget, il se rend ensuite sur la tombe du Soldat inconnu.

1927

10 SEPTEMBRE

LA FRANCE REMPORTE LA COUPE DAVIS
Jean Borotra, Jacques Brugnon, Henri Cochet et René Lacoste, les « Quatre Mousquetaires » du tennis, affrontent ici les États-Unis après avoir perdu la Coupe Davis à quatre reprises. Cette fois, elle ne leur échappe pas. Ils vont la remporter de nouveau à cinq reprises, entrant dans la légende du tennis français.

10 SEPTEMBRE

LES « QUATRE MOUSQUETAIRES » REÇUS PAR GASTON DOUMERGUE
Le 10 septembre, le président de la République, Gaston Doumergue, élu depuis trois ans – son mandat de sept ans se termine en 1931 –, reçoit les « Quatre Mousquetaires » du tennis français, qui viennent de remporter la Coupe Davis contre les États-Unis.

1927

10 OCTOBRE

MARIAGE DE MAURICE CHEVALIER ET YVONNE VALLÉE
D'abord chanteur de caf'conc' à Ménilmontant, son « Ménilmu-u-u-che », Maurice Chevalier devient, pendant les Années folles, l'artiste le plus populaire du music-hall. Reçu ici par la colonie américaine à Paris, il vient d'épouser l'actrice Yvonne Vallée. Les deux tourtereaux s'apprêtent à partir pour Hollywood, où leur carrière cinématographique va prendre son essor.

1928

27 AOÛT

SIGNATURE DU PACTE BRIAND-KELLOGG

Le 27 août, ratifié par quinze pays dont l'Allemagne, la Belgique, la Grande-Bretagne, l'Italie, la Pologne, la Tchécoslovaquie et le Japon, le pacte Briand-Kellogg précise que tous ses signataires renoncent à la guerre pour régler les différends qui pourraient survenir entre eux à l'avenir.

1929

24 OCTOBRE

LA BOURSE DE PARIS LORS DU KRACH BOURSIER DE 1929
Peu après le krach de Wall Street, le jeudi 24 octobre, une foule de spéculateurs et d'actionnaires sont rassemblés devant la Bourse de Paris.
En France, les répercussions de la crise boursière sont moins importantes qu'aux États-Unis, mais le « jeudi noir » marque le début de la plus grande crise économique du XXe siècle.

LES LETTRES AU DÉBUT DU SIÈCLE

Les lettres françaises sont honorées de quatre prix Nobel entre 1901 et 1927 : c'est d'abord Sully Prudhomme et son *Vase brisé* : « Le vase où meurt cette verveine / D'un coup d'éventail fut fêlé / Le coup dut l'effleurer à peine / [...] Souvent aussi la main qu'on aime / Effleurant le cœur le meurtrit / [...] Toujours intact aux yeux du monde, / Il sent croître et pleurer tout bas / Sa blessure fine et profonde ; / Il est brisé, n'y touchez pas. » C'est ensuite Frédéric Mistral et son Félibrige en 1904. C'est, en 1915, Romain Rolland, le pacifiste déçu, qui, de Suisse, assiste désespéré au suicide de l'Europe. C'est Anatole

1 | FRÉDÉRIC MISTRAL
FRÉDÉRIC MISTRAL est né en 1830, en Provence. Celle-ci ne quittera jamais son œuvre. En 1854, il fait partie des sept provençaux qui fondent le Félibrige, destiné à restaurer la langue occitane. Le prix Nobel de littérature couronne son œuvre en 1904.

2 | ALAIN-FOURNIER
« UNE FOIS DEBOUT, j'aperçois l'ennemi à genoux dans un fossé. Je n'entends plus les coups de revolver que tirait à 3 mètres de moi le lieutenant Fournier ; je le cherche, il gît à terre sans bouger. Il est mort. » Ainsi disparaît l'auteur du *Grand Meaulnes,* Alain-Fournier, le 22 septembre 1914.

1

2

France l'engagé qui demande la révision du procès de Dreyfus. C'est enfin Henri Bergson le philosophe des données immédiates de la conscience.

PROUST, ALAIN-FOURNIER...

Loin des honneurs de toutes sortes, Marcel Proust invente en 1912 un extraordinaire système romanesque, vertigineux, à l'ironie descriptive, introspective et enjouée, qui traverse une galerie de portraits inoubliables. En 1919, *À l'ombre des jeunes filles en fleurs,* deuxième volume de *À la recherche du temps perdu,* obtient le Prix Goncourt. En 1913, Henri-Alban Fournier, dit Alain-Fournier, né en 1886, offre à la postérité la nostalgie de belles amours inachevées dans *Le Grand Meaulnes.* Puis il part pour la guerre. Il y est tué, le 22 septembre 1914, à vingt-sept ans.

CENDRARS, APOLLINAIRE

28 septembre 1915, Blaise Cendrars, qui publia, en 1913, *La Prose du Transsibérien et de la petite Jehanne de France,* est atteint au bras droit par une rafale de mitrailleuse pendant l'offensive de Champagne, il est amputé le jour même. Le poète Guillaume Apollinaire qui a publié en 1913 *Alcools,* recueil de poèmes sans ponctuation, est blessé à la tête par un éclat d'obus, le 17 mars 1916. La même année, Max Jacob publie son œuvre majeure, *Le Cornet à dés,* remplie de poèmes en prose, de petits chefs-d'œuvre.

DADA ET LE SURRÉALISME

« Détruire les tiroirs du cerveau », proposer une autre lecture du réel après la grande boucherie, après le naufrage de l'Europe et de ses vieilles lunes, retrouver les sons originels, « Dada »... L'absurdité de la guerre a meurtri les sens, l'art doit exprimer l'explosion des cadres anciens, et reconstruire. Le mouvement Dada, avec Tristan Tzara, ouvre les portes du surréalisme, avec André Breton et sa bande, où s'illustrent, avant de prendre leurs distances, Paul Éluard et Louis Aragon.

3 | JACQUES DE LACRETELLE

DEUXIÈME ROMAN de l'écrivain, *Silbermann* obtient le prix Femina en 1922. Il est l'auteur d'une cinquantaine d'œuvres.

4 | COCTEAU ET RADIGUET

COCTEAU reçoit un jour de 1918 la visite d'un jeune journaliste : Raymond Radiguet. Il publiera *Le Diable au corps* en 1923. Il pose ici avec le peintre Jean Hugo, Cocteau et Lacretelle.

5 | HENRI BERGSON

LA PERCEPTION de la durée pure ne se peut atteindre que par l'intuition. Telle est la conviction du philosophe qui ne put, à demi paralysé, aller à Stockholm, en 1927, recevoir son prix Nobel de littérature.

3

4

5

JUIN 1936 TERRASSIERS EN GRÈVE.

LES ANNÉES TRENTE

Le puissant séisme de la crise financière de 1929 aux États-Unis prolonge en Europe ses ondes de choc atténuées, mais qui provoquent l'instabilité politique, en France notamment. Face à la montée du fascisme, la gauche s'unit. Le Front populaire de 1936 obtient des avancées sociales décisives. Mais bientôt, le spectre de la guerre réapparaît. Les années trente, ce sont aussi des inventions, des innovations, des exploits. C'est la création de la télévision, l'essor du cinéma parlant, la Traction Citroën, les congés payés. C'est le paquebot Normandie entrant dans le port de New York. Ce sont, enfin, les accords de Munich…

1930

JANVIER-FÉVRIER

AU SALON DES ARTS MÉNAGERS À PARIS
Du 30 janvier au 16 février, au Grand Palais, se tient le Salon des arts ménagers. Les visiteurs vont de surprise en surprise, tant les innovations sont nombreuses. Et parmi elles, cet appareil, rêve des ménagères, devenu réalité : la machine à laver la vaisselle !

1930

MARS-AVRIL

DES INONDATIONS MEURTRIÈRES DANS LE SUD

En mars et en avril, de terribles inondations saccagent le Languedoc et le Sud-Ouest, causant la mort de 700 personnes. Douze départements submergés par les eaux sont sinistrés. Moissac est en partie rasée, Montauban et Agen partiellement détruites.

AVRIL

DES HABITANTS CONTRAINTS DE FUIR LEUR DOMICILE

Battue par les pluies diluviennes, la Garonne, ainsi que de nombreuses rivières, se met en colère, déborde... Les eaux submergent les champs, pénètrent dans les maisons. Les habitants évacuent leurs demeures dévastées en empruntant les rues couvertes de boue.

1930

1er SEPTEMBRE

LE *POINT D'INTERROGATION* DÉCOLLE DU BOURGET
Le 1er septembre, l'avion Breguet, le *Point d'interrogation,* s'envole de l'aéroport du Bourget afin de rejoindre New York. Les pilotes Costes et Bellonte couvrent les 9 000 km de cette traversée en 37 h 18 min, avec plus de 5 000 l de carburant. Pour la première fois, l'Atlantique nord est franchi sans escale, dans le sens est-ouest.

2 SEPTEMBRE

UN ACCUEIL TRIOMPHAL EST RÉSERVÉ AUX AVIATEURS

Le 2 septembre, Dieudonné Costes (à gauche) et Maurice Bellonte (à droite) sont acclamés dans les rues de New York après avoir accompli leur exploit aérien : la traversée de l'Atlantique d'est en ouest.

1931

13 MAI

PAUL DOUMER VOTE AU SECOND TOUR DES ÉLECTIONS PRÉSIDENTIELLES
Le 13 mai, Paul Doumer, président du Sénat, vote pour le second tour de l'élection du président de la République. Le soir même, c'est lui qui est élu ! Ce fils de poseur de rails et d'une ménagère originaires du Quercy, émigrés à Paris, se retrouve tôt orphelin de père. Après son certificat d'études, il devient coursier. Il suit les cours des Arts et Métiers, devient ingénieur, puis entre en politique...

13 MAI

PAUL DOUMER EST ÉLU PRÉSIDENT DE LA RÉPUBLIQUE
Après la proclamation des résultats du second tour de scrutin des élections présidentielles, Paul Doumer sort du palais de Versailles avec, à sa droite Joël Ratier, vice-président du Sénat, et à sa gauche, Pierre Laval, président du Conseil.

1931

14 JUIN

LES CORPS DES NAUFRAGÉS DU *SAINT-PHILIBERT* SONT AMENÉS À SAINT-NAZAIRE

Le 14 juin, le bateau à vapeur quitte le port de Nantes à destination de Noirmoutier. À son bord, plus de 500 personnes, des familles entières, ont pris place pour une journée de détente. Au retour, la mer se déchaîne, le bateau chavire. Presque tous les passagers meurent noyés. Il n'y a que 8 survivants. On voit ici l'un des bateaux sauveteurs qui arrive à Saint-Nazaire avec les premiers corps.

Cette année-là aussi... Sur une musique de Vincent Scotto, Gaston Ouvrard – c'est son père qui a inventé le comique troupier – triomphe avec sa chanson *Je n'suis pas bien portant*. **...** Le 10 septembre paraît le premier volume – consacré à Baudelaire – de la Bibliothèque de la Pléiade, fondée la même année par Jacques Schiffrin.

1932

JANVIER

LA CROISIÈRE JAUNE
Afin de démontrer la fiabilité et l'endurance de ses véhicules, André Citroën organise La Croisière Jaune, raid qui doit permettre de rejoindre l'Empire du Milieu en véhicules tout-terrain. Partis de Beyrouth le 4 avril 1931, les participants arrivent à Pékin le 12 février, après une traversée de l'Afghanistan, du Cachemire, de l'Himalaya, de la Mongolie et enfin de la Chine.

Le raid automobile pensé par André Citroën, la Croisière Jaune,

LE GROUPE PAMIR
Deux groupes participent à la Croisière Jaune : le groupe Pamir, parti de Beyrouth, et le groupe Chine, parti de Tientsin. On voit ici une autochenille Citroën C4 du groupe Pamir qui traverse un village chinois. Les deux groupes rejoignent Pékin après avoir vaincu les pires difficultés en cours de route.

JANVIER

LES PARTICIPANTS TRAVERSENT LA GRANDE MURAILLE
En janvier, les autochenilles des deux groupes de la Croisière Jaune Citroën, Pamir et Chine, franchissent une porte de la Grande Muraille. Le convoi est alors à une centaine de kilomètres de Pékin.

traverse l'Empire du milieu dans des véhicules tout-terrain.

1932

6 MAI

PAUL DOUMER TUÉ PAR UN ANARCHISTE

Le 6 mai, le président de la République, Paul Doumer, inaugure une exposition consacrée aux écrivains de guerre à l'Hôtel Salomon de Rothschild. Soudain, un Russe blanc anarchiste, Paul Gorgulov, tire des coups de feu sur le président qui, conduit à l'hôpital Beaujon tout proche, meurt le lendemain. Gorgulov sera condamné à mort et guillotiné le 14 septembre.

1932

10 MAI

ALBERT LEBRUN SUCCÈDE À PAUL DOUMER

Fils d'un agriculteur, polytechnicien, ingénieur des Mines, conseiller général, député, ministre, Albert Lebrun devient président de la République le 10 mai, à la suite de l'assassinat de Paul Doumer. Réélu en 1939, il se retire le 13 juillet 1940, après l'arrivée au pouvoir du maréchal Pétain. Albert Lebrun est le dernier président de la IIIe République.

Cette année-là aussi... Le 7 juillet, le sous-marin *Prométhée* fait naufrage au large du cap Lévi, près de Cherbourg, causant la mort de 62 personnes.

1932

RENÉ LACOSTE À ROLAND-GARROS
René Lacoste, surnommé « le Crocodile » ou « l'Alligator », évolue ici sur le court central lors des internationaux de Roland-Garros à Paris. Revenu à la compétition après un arrêt en 1929, il ne joue que trois jours. Malade, il abandonne ensuite la compétition. Il se lance alors dans le monde des affaires, avec le succès que l'on connaît. Il meurt le 12 octobre 1996, à quatre-vingt-douze ans.

LES PARISIENNES ADOPTENT LE PANTALON
En France, une ordonnance de 1800 interdit aux femmes le port du pantalon. Celles qui bravent l'interdit mettent en péril leur réputation ! Mais, au début des années 1930, trois actrices américaines, Marlene Dietrich, Greta Garbo et Katharine Hepburn, en portent volontiers. Leur célébrité permet aux jeunes Parisiennes de s'en revêtir aussi. Le pantalon pour femmes devient à la mode.

7 OCTOBRE

INAUGURATION D'AIR FRANCE AU BOURGET

Le 7 octobre, la compagnie Air France est officiellement inaugurée à l'aéroport du Bourget par Ernest Roume, son président, ancien gouverneur général de l'Afrique-Occidentale française, et le ministre de l'Air dans le gouvernement Daladier, Pierre Cot.

1933

7 NOVEMBRE

CRÉATION DE LA LOTERIE NATIONALE

Le 19 février est créée la Loterie nationale. Ses bénéfices sont destinés à la caisse de retraite des Anciens Combattants et aux victimes des calamités agricoles. Le premier tirage a lieu le 7 novembre à Paris, au Trocadéro.

Le premier tirage de la loterie nationale a lieu le 7 novembre 1933,

GROS LOT DE LA LOTERIE NATIONALE
Le gros lot du premier tirage de la Loterie nationale est de 5 millions de francs, environ 3 millions d'euros. Le billet 184 14 de la série H. remporte le premier gros lot. S'ensuivront d'autre tirages, et d'autres heureux gagnants…

22 NOVEMBRE

PREMIER GAGNANT DU GROS LOT, PAUL BONHOURE
C'est un coiffeur de Tarascon, Paul Bonhoure, qui possède le billet de la fortune. Il est accueilli triomphalement à Paris le 22 novembre et parcourt comme un officiel, debout dans une voiture, un petit circuit qui part de l'hôtel Crillon. Revenu à Tarascon, il offre son salon à son commis, achète une propriété de 50 ha et vit heureux jusqu'à la fin de ses jours.

le gros lot s'élève alors à 5 millions de francs !

LES LETTRES DANS LES ANNÉES 1930

Le tourment spirituel hante la littérature : avec François Mauriac et ses héros sans cesse tiraillés entre Dieu et le diable, le bien et le mal. Le tourment rôde à chaque page. L'atmosphère bourgeoise oppressante pousse les personnages au crime, au suicide. L'horizon est sombre, les soleils sont pâles. Dans les yeux de Thérèse Desqueyroux, brasille la folie meurtrière, mais chez ces gens-là, on pardonne pour sauver la face. Georges Bernanos n'est pas en reste : dans la ligne sombre de son *Sous le soleil de Satan,* paru en 1926, il publie *Le Journal d'un curé de campagne* en 1936, et, l'année suivante, la *Nouvelle histoire de Mouchette.* La conscience de ses personnages y est torturée, aux prises avec le Malin, elle traverse des nuits hallucinées, semble se repaître de ses propres défaites.

LA CONDITION HUMAINE

Moins marqués par la fatalité, les héros de Malraux assument un destin qui les place dans une situation de lutte constante. Ils substituent au rêve la conquête, au discours

1 | ROGER MARTIN DU GARD
NÉ À NEUILLY-SUR-SEINE en 1881, Roger Martin du Gard consacre 20 ans de sa vie à la rédaction de son grand œuvre : *Les Thibault,* un roman-fleuve en douze volumes. Il reçoit le prix Nobel de littérature en 1937.

2 | SAINT-EXUPÉRY
ON L'IGNORE SOUVENT : Antoine de Saint-Exupéry était passionné de mécanique et a déposé des brevets visant à améliorer les avions... Mais c'est l'écrivain qui passionne : *Le Petit Prince* s'est vendu à plus de 130 millions d'exemplaires, en 225 langues... Le voici en 1931 avec son grand amour : Consuelo.

1

2

3

l'action. Ils assument jusqu'au bout leurs choix, jusqu'à leur dernière tentative pour vaincre, pourvu qu'elle soit inscrite dans un projet de libération, qu'elle contribue à redéfinir la condition humaine, en crise dans le monde occidental. Ils semblent développer le programme contenu dans cette phrase, écrite par celui qui les crée : « L'homme n'est pas ce qu'il est, il est ce qu'il fait. »

LES LABOURS DE GIONO

Jean Giono aime sa Provence, les mains de ses Panturle ou Mamèche sont des labours. Ses histoires rugueuses et rustiques portent en germe la rédemption des âmes simples ; et la nature veille au grain. *Regain* paraît en 1930 et son succès est immense. Sept ans plus tard, Marcel Pagnol en fait un film que renie Giono, mais que le public plébiscite.

LE *VOYAGE* DE CÉLINE

Louis Ferdinand Destouches, né le 27 mai 1894 à Courbevoie, élevé dans une dentellerie passage Choiseul à Paris, engagé en 1912, blessé dans les tranchées en 1914, démobilisé en 1915, médecin en 1923, auteur de *Voyage au bout de la nuit* en 1932… Ce *Voyage,* quelle surprise, quelle claque pour les auteurs à l'introspectif train-train, aux petits voyages étriqués en minutie, quel souffle, quel style ! Un styliste ! Voilà ce que Céline désirait que les générations futures retinssent de lui. Il a réussi.

LURETTE ET POÉSIE

Petits bonheurs, petits malheurs, grands livres d'humanité profonde, de sensibilité ; et cette façon cynique et tendre de prendre la vie pour ce qu'elle est : un petit mot d'une syllabe, presque un soupir… Voilà Henri Calet (Raymond Barthelmess), né à Paris le 3 mars 1904 ! Son premier roman, *La Belle Lurette,* paraît en 1935. En poésie, on lit Paul Éluard, *Les Yeux fertiles* (1936), Max Jacob, *Les Poèmes de Morven le Gaélique* (1931), Henri Michaux, *La nuit remue* (1935), Robert Desnos, *Corps et biens* (1930), René Char, *Le Marteau sans maître* (1934)…

3 | *LE VOYAGE*
PUBLIÉ AUX ÉDITIONS DENOËL, le *Voyage au bout de la nuit* manque de peu le prix Goncourt en 1932…

4 | ANDRÉ MALRAUX
POUR COMPRENDRE le début de son roman, *La Condition humaine,* prix Goncourt 1933, une documentation sur la situation de la Chine en 1927 est presque nécessaire. Mais la machine romanesque de Malraux est irrésistible.

5 | HENRI TROYAT
LEV ASLANOVITCH TARASSOV, né en 1911, quitte la Russie avec sa famille en 1917. Il publie une centaine d'œuvres, dont *L'Araigne,* prix Goncourt 1938.

4

5

COLIGNY
LA ROCHELLE
COLIGNY

1933

Cette année-là aussi... Le 23 décembre, le train Paris-Strasbourg percute par l'arrière celui du Paris-Nancy à Lagny-Pomponne, en Seine-et-Marne. Le bilan est terrible : 230 morts et 300 blessés.

DES PRISONNIERS PARTENT POUR LE BAGNE
Des forçats, encadrés par des policiers, viennent d'être embarqués à La Rochelle sur le bateau Coligny, à destination des bagnes de la Guyane française. Ils seront regroupés en chemin au pénitencier de Saint-Martin de Ré, puis traverseront l'Atlantique.

1934

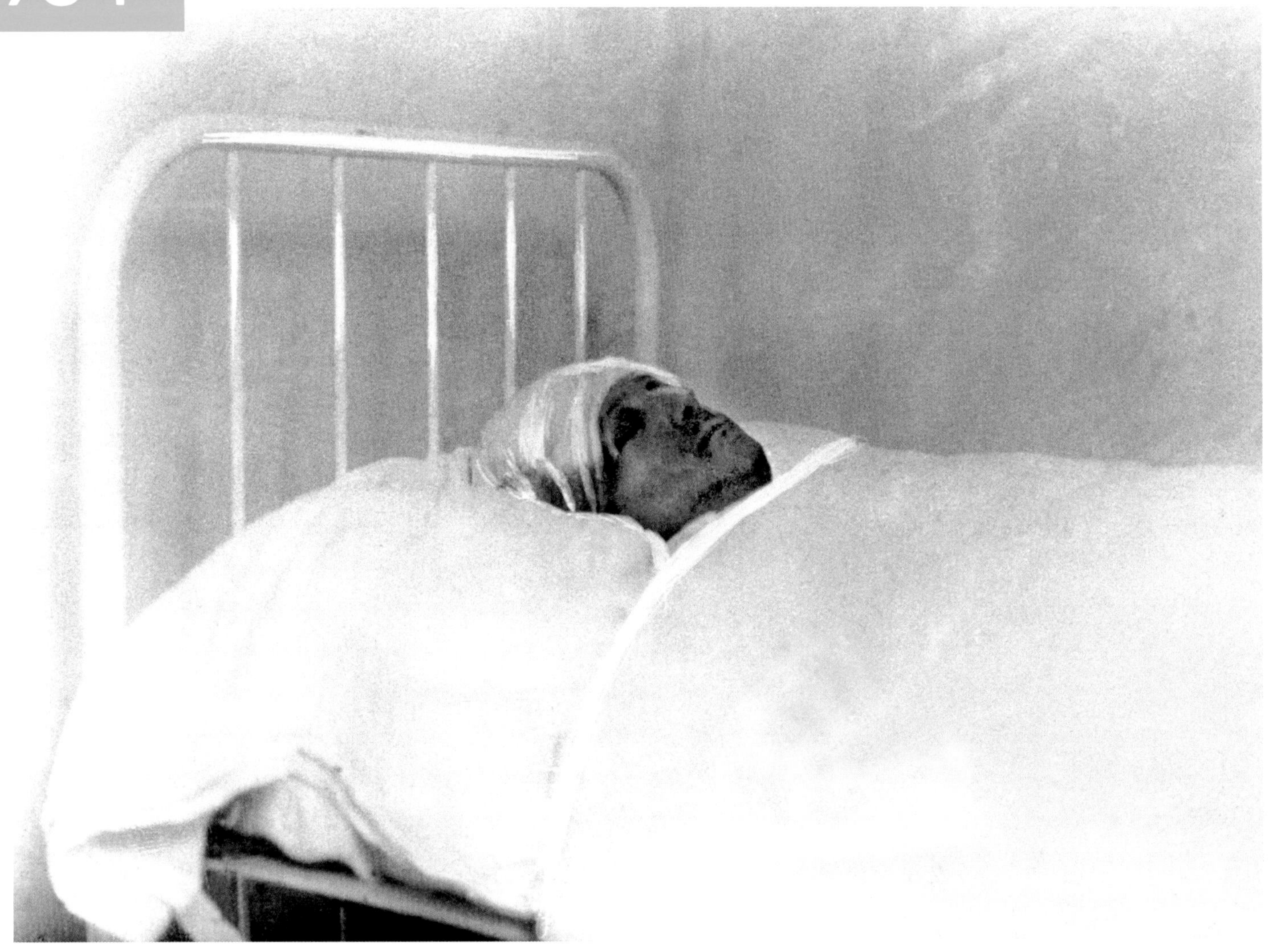

8 JANVIER

MORT DE L'ESCROC ALEXANDRE STAVISKY
Le 8 janvier, le financier et escroc Alexandre Stavisky, dit « Le Beau Sacha », est retrouvé « suicidé » à Chamonix. Il était accusé d'avoir soutiré, entre autres escroqueries, 240 millions de francs au Crédit municipal de Bayonne en bénéficiant de protections dans le gouvernement Daladier.

Les zones d'ombre de l'affaire Stavisky

JANVIER

MANIFESTATION EN RÉACTION À LA MORT DE STAVISKY

Après le prétendu suicide de Stavisky, des manifestations d'extrême droite se succèdent en janvier contre la « racaille des spéculateurs ». La situation dégénère quand le nouveau président du Conseil, Édouard Daladier, renvoie le préfet de police Jean Chiappe fort apprécié de la droite. Daladier démissionne après une manifestation qui a lieu en février et qui fait 17 morts.

provoquent la colère de l'extrême droite.

1934

10 OCTOBRE

VIOLETTE NOZIÈRE LORS DE SON PROCÈS

Le 10 octobre, la jeune Violette Nozière, accusée d'avoir empoisonné ses parents – seul son père en est mort –, comparaît devant la cour d'assises de la Seine. Deux jours plus tard, elle est condamnée à mort, bien qu'elle révèle que son père abusait d'elle. Peu de temps après, sa peine est commuée en détention à perpétuité. Cette femme mystérieuse inspire de nombreuses œuvres.

1934

30 NOVEMBRE

HÉLÈNE BOUCHER DÉCÈDE DES SUITES D'UN ACCIDENT D'AVION

Hélène Boucher, née à Guyancourt en 1908, devient l'aviatrice la plus rapide du monde le 11 août 1934, avec un record de 445 km/h. Le 30 novembre, lors d'un vol d'entraînement, elle s'écrase à bord de son Caudron Rafale. Elle meurt dans l'ambulance qui la conduit à l'hôpital.

Cette année-là aussi... Le 21 octobre paraît le premier numéro de l'hebdomadaire *Le Journal de Mickey*, qui accueille également d'autres personnages du monde de Disney, par exemple Donald et l'oncle Picsou.

1935

26 AVRIL

PREMIÈRE ÉMISSION D'ESSAI DE TÉLÉVISION

Le 26 avril 1935, la comédienne Béatrice Bretty participe à la première émission d'essai de la télévision. C'est sous l'impulsion de Georges Mandel que cette expérience peut se dérouler. L'émission en 60 lignes se déroule depuis le ministère des PTT, au 103, rue de Grenelle, à Paris.

27 AVRIL

RENÉ BARTHÉLEMY, INVENTEUR DE LA TÉLÉVISION

René Barthélemy pose devant son invention : la télévision. Barthélemy est né en 1889 à Nangis, mort à Antibes en 1954. Il n'a pas inventé seul la télévision, mais toutes les expériences et les savoirs qu'il a assimilés et prolongés lui ont permis d'aboutir à un appareil capable de transmettre l'image de façon fiable et lisible.

1935

11 NOVEMBRE

DÉFILÉ DES CROIX DE FEU POUR LA CÉLÉBRATION DE L'ARMISTICE
Fondée en 1927, l'association Les Croix de feu rassemble les anciens combattants nationalistes français, dirigés par le colonel François de la Rocque, forte de 500 000 adhérents. Voici un défilé des Croix de feu à l'occasion de l'armistice, le 11 novembre. Dissoute l'année suivante, cette association se transforme en « Parti social français », premier parti de masse de droite.

LES FILMS DES ANNÉES TRENTE

Il s'en est passé des choses depuis que Méliès faisait son cinéma tout seul, un peu dans la lune, et les pieds sur terre pour embobiner par ses trucages des spectateurs médusés. Il y a eu Charlie Chaplin et son inoubliable silhouette de Charlot tenant par la main Jackie Coogan, alias The Kid, en 1921. Il y a eu les films de Buster Keaton… et tout cela est regardé avec envie et gourmandise en France. On s'étonne surtout, à la fin des années 1920, de l'apparition du parlant. Voilà la grande affaire ! Pagnol s'enthousiasme, Raimu s'insurge et, avec son habituelle ironie, qualifie cette innovation d'« attraction pour Luna Park ». Pagnol insiste, prédit le grand avenir de cette invention qu'il a découverte

1 | *LA GRANDE ILLUSION*
EN 1937 sort l'un des chefs-d'œuvre du cinéma : *La Grande Illusion*. Réalisé par Jean Renoir, il met en scène des officiers français et allemands pendant la Première Guerre mondiale. Jean Gabin, Marcel Dalio, Pierre Fresnay et Eric von Stroheim en sont les têtes d'affiche inoubliables.

2 | *LE QUAI DES BRUMES*
DANS CE FILM de Marcel Carné, un déserteur de l'armée coloniale (Jean Gabin), séduit la jeune Nelly (Michèle Morgan). On y entend ce dialogue d'un romantisme économe et efficace, signé du poète Jacques Prévert : « T'as d'beaux yeux, tu sais » – « Embrassez-moi »…

1

2

3

à Londres : « Le film parlant est un moyen d'expression nouveau qui prendra au théâtre ses meilleurs comédiens, et peut-être ses salles. »

LA GRANDE ILLUSION

Pagnol ne se trompe pas. Outre qu'il donne naissance à mille et un métiers nouveaux – prise de son, synchronisation, bruitage… – le cinéma parlant permet d'accroître le rythme et la richesse des histoires racontées. C'est la porte ouverte à l'illusion totale, la certitude que si la réalisation se hisse à un niveau artistique suffisant, le message contenu dans un long métrage, quel qu'il soit, passera aisément dans la conscience du spectateur qui, bien sûr, le traitera librement, à sa façon.

UN JEU (PRESQUE) PARFAIT

Les succès, presque tous des chefs-d'œuvre, se multiplient au fil des ans, ouvrant tout grands les écrans aux acteurs dont le jeu côtoie la perfection (de l'époque…). Ainsi dans *Boudu sauvé des eaux* (1932), où Michel Simon incarne un clochard magnifique plus vrai que nature ; ainsi Louis Jouvet, en 1933, jouant le docteur Knock d'après la pièce de Jules Romains ; ainsi, en 1937, dans *Drôle de drame,* de Marcel Carné, les figures de la sévère Françoise Rosay ; ainsi, dans *La Bête humaine,* d'après le roman de Zola, où Gabin campe un conducteur de machine qui côtoie la folie.

AVEC SACHA GUITRY…

Sacha Guitry laisse aussi son nom à ces années 1930 dans le cinéma. On se rappelle *Le Roman d'un tricheur,* sorti en 1936, avec Sacha Guitry, Jacqueline Delubac, Marguerite Moreno… On se rappelle aussi *Faisons un rêve,* en 1936, avec Sacha Guitry. On se rappelle encore *Mon père avait raison,* en 1936 aussi, avec Sacha Guitry… aussi. *Quadrille* en 1937, avec Sacha Guitry. Sans oublier *Ils étaient neuf célibataires* avec, bien sûr, Sacha Guitry…

3 | FERNANDEL ET RAIMU
DÉJÀ RICHE D'UNE CARRIÈRE de réalisateur à succès, Marcel Pagnol réalise en 1940 *La Fille du puisatier*, qui réunit les désormais célèbres Fernandel, Raimu et Josette Day.

4 | *HÔTEL DU NORD*
EN 1938 sort *Hôtel du Nord* de Marcel Carné. Deux amants projettent d'en finir avec la vie. Auparavant, Arletty y lance son fameux « Atmosphère, atmosphère, est-ce que j'ai une gueule d'atmosphère » qui résonne toujours…

5 | *LES BAS-FONDS*
DANS CE FILM de Jean Renoir, l'iconique Louis Jouvet incarne un baron, joueur invétéré et perclus de dettes.

4

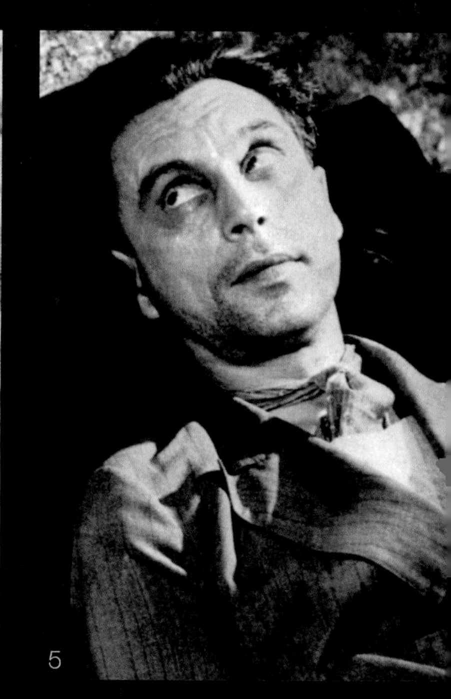

5

1935

29 MAI

LE PAQUEBOT *NORMANDIE* QUITTE LE HAVRE
Le 29 mai, le paquebot *Normandie*, construit par les chantiers de Penhoët à Saint-Nazaire, quitte le port du Havre pour sa première traversée. Après quatre jours, trois heures et cinq minutes de navigation, il arrive à New York, où l'accueil est enthousiaste. Il remporte le Ruban bleu, récompense attribuée aux navires transatlantiques les plus rapides.

NORMANDIE

1936

4 MAI

VICTOIRE DU FRONT POPULAIRE

Le 4 mai, à la une de *l'Humanité,* on peut lire : « Le peuple de France a voté pour le pain, la paix, la liberté ! » Le Front populaire est né du désir de barrer la route au fascisme qui est en train de gagner du terrain et qui pourrait l'emporter dans une France désorientée.

Le peuple de France a voté pour le pain, la paix, la liberté !

DEUXIÈME ÉDITION

l'Humanité

ORGANE CENTRAL DU PARTI COMMUNISTE (S.F.I.C.)

RÉDACTION ET ADMINISTRATION 138, RUE MONTMARTRE, PARIS (2e)

LUNDI 4 MAI 1936
DEUX ÉDITIONS

Fondateur : JEAN JAURÈS
Directeur : MARCEL CACHIN
SÉNATEUR DE LA SEINE

VICTOIRE !

Le Front Populaire triomphe !

DANS TOUT LE PAYS, DES MANIFESTATIONS PUISSANTES ET ENTHOUSIASTES GROUPANT DES DIZAINES DE MILLIERS DE PERSONNES ONT SUIVI LA PROCLAMATION DU SCRUTIN

SONT ÉLUS

COMMUNISTES

Jacques Duclos, Gitton, Midol, Gabriel Péri, Billoux, Bartolini, Cornavin, Dewez, Bonte, Croizat, Piginnier, Cogniot, Tillon, Berlioz, Fourrier, Costes, Fajon, Rochet, Loubradou, Barel, Martel, Mercier, Lareppe, Rigal, Grésa, Mocquet, Vazeilles, Collin Pillot, Touchard, Lozeray, Brout, Honel, Parsal, Petit, Nicod, Mouton, Béchard, Valat, Dadot, Raux, Musmaux, Quinet, Le Corre, Brun, Fouchard, Demusois, Gaou, Jean Duclos, Benoist, Cossoneau, Catelas, Pros, Saussot, Michels, Langumier, Benenson, Declercq, Prachay, Dutilleul, Pourtalet, Daul, Phillipot.

SOCIALISTES

Jean Lebas, Salengro, Le Troquer, Valentin, Planche, Baron, Albertin, Spinasse, Castagniez, Jardillier, Bénassy, Villedieu, Moutet, Arsène Gros, Maës, Lagrange, Cadot, Lewis, Jordery, Février, Chouffet, Nouelle, Laville, Chaussy, Sion, Lussy, Valière, Maxence Roldes, Allemane, etc, etc...

RADICAUX

Edouard Herriot, Daroux, Rolland, Grammont, Brayas, Bastid, Palmade, Yvon Delbos, Mendès-France, Le Bail, Cadoret, Jean Zay, Perfetti, Lévy-Alphandéry, Jammy-Schmidt, Margaine, Raoul Aubaud, de Tessan, Elbel, Richard, Picard, etc.., etc...

Autres partis du Front Populaire

Brandon, Susset, Garchery, Sellier, Bergery, Ramadier, Lafaye, Vienot, Cayrel, Hueber, etc.., etc...

Résultats pour les deux tours de scrutin

AU PREMIER TOUR 185 députés ont été élus		AU SECOND TOUR Résultats à 3 heures	TOTAL (sauf 3 sièges)
COMMUNISTES	9	63	72
S. F. I. O.	23	123	146
RADICAUX SOCIALISTES	25	90	115
PUPISTES	0	10	10
UNION SOCIALISTE	5	20	25
SOCIALISTES INDÉPENDANTS	1	8	9
RADICAUX INDEPENDANTS	13	18	31
RÉPUBLICAINS DE GAUCHE	40	43	83
DÉMOCRATES POPULAIRES	12	11	23
U. R. D.	51	39	90
CONSERVATEURS	6	5	11

Dans la Seine, sur 60 circonscriptions

LE FRONT POPULAIRE détient 39 sièges dont 32 communistes

DUCLOS
élu à Montreuil

GITTON
élu à Pantin

Nous ne voulons pas dissimuler notre grande joie. Le Front populaire l'emporte très nettement et dans la victoire générale notre Parti communiste enregistre sa part de succès.

Les fascistes et leurs alliés qui prétendaient parler seuls au nom de la France sont chassés par le peuple. Les travailleurs liront avec satisfaction la longue liste des ennemis acharnés du Front populaire qui furent hier chassés du Parlement. Ce fut une véritable hécatombe.

Dans Paris et le département de la Seine, c'est pour les réacteurs un véritable écrasement. C'est notre Parti communiste qui a eu le grand honneur de battre dans toute la région parisienne les chefs les plus insolents des factieux et des fascistes de ce pays.

Comme nous l'avions prévu, le courant populaire a été irrésistible.

Et maintenant, après leur défaite, les adversaires du Front populaire ne manqueront pas de reprendre contre la majorité librement élue par la nation leurs calomnies et leurs excitations ordinaires.

Ils vont répéter que c'est la Révolution, que c'est la fin du pays et que ce sera demain le désordre et le chaos. Ils vont reprendre leurs propos menteurs sur l'Espagne et les prétendus excès du Front populaire dans la péninsule ibérique.

Le peuple de notre pays conservera tout son sang-froid devant ces absurdes violences de langage. Il se préparera avec calme à faire passer dans la réalité le programme signé solennellement par tous les membres du Rassemblement du 14 Juillet. Il n'oubliera pas qu'il s'agit pour lui de réconcilier tous les travailleurs français contre les 200 familles qui les exploitent et qui les rançonnent ! Maintenant qu'il vient de donner la mesure de sa force souveraine, il entend user de cette puissance non pour créer du désordre comme on l'en accuse, mais pour assurer la réalisation des engagements pris devant le pays.

Ainsi seront déjoués toutes les espérances des ennemis du peuple et des fascistes, si durement frappés par le scrutin d'hier. Ces messieurs ont déclaré avant le vote qu'ils n'accepteraient pas le fait accompli, qu'ils se serviraient de la force si le Front populaire venait à l'emporter. La volonté de la majorité de la nation vient de se prononcer contre leurs menées et de repousser vigoureusement leurs mensonges et leurs menaces. La plupart de leurs chefs sont à terre. Malheur à eux s'ils refusent de s'incliner devant le peuple qui vient de leur signifier son verdict !

Il appartient à tous les groupements du Front populaire de conserver plus solide que jamais l'unité qui a assuré la déroute de ses adversaires irréductibles.

Marcel CACHIN.

SONT BATTUS

GIGNOUX, l'homme du Comité des Forges, par le communiste Mercier ; FRANKLIN-BOUILLON, par notre camarade Prachay ; Marcel DÉAT, ministre de l'Air, traître au Front populaire, est battu par notre camarade Langumier ; CATHALA, le lieutenant de Laval, est battu à Etampes par le radical du Front populaire, Camus ; JARDEL, renégat, est écrasé dans le XXe par notre camarade Brout ; Jean GOY, l'hitlérien, est battu par le socialiste Allemane ; DE TASTES et BOUCHERON, réactionnaires, sont chassés du XVe par nos camarades Michels et Fourrier ; BESSET, ancien ministre, réactionnaire, est battu par notre camarade Bonte ; MARTINAUD-DÉPLAT, radical indiscipliné, provocateur, est battu dans le XIXe par notre camarade Grésa ; Jean FABRY, ancien ministre de la Guerre, organisateur des fascistes dans l'armée, est battu par le glorieux aviateur Bossoutrot, candidat du Front populaire, après une belle campagne menée avec notre camarade Sampaix ; FIQUET, président du Conseil municipal de Paris le 6 février 1934, est battu par notre camarade Lozeray qui, au premier tour, avait écrasé déjà le corrompu HENRY-PATÉ, candidat des Croix de feu ; PRADE, fasciste chiappiste, est écrasé par notre ami Petit à Sceaux (7e) ; FOURÈS, candidat des ligues armées, est chassé du XVIIe par Moquet, communiste ; PONCET, député d'affaires louches, est battu par Jacques Duclos à Montreuil ; Désiré FERRY, directeur de la Liberté, et lieutenant de Tardieu, est battu à Nancy par Lapié, de l'Union socialiste ; à Digne, le ministre STERN est battu par le radical du Front populaire Massot.

BILLIET, le corrupteur, l'homme des Intérêts économiques, est battu par notre ami Dutilleul.

L'ennemi du franc, Paul REYNAUD, candidat des croix de feu, n'est élu qu'avec 27 voix de majorité sur notre camarade Delon. Un doriotiste de dernière heure a obtenu 50 voix. L'apôtre de la dévaluation doit donc sa piètre victoire à Doriot. De nombreux croix de feu n'ont pas voulu appliquer le mot d'ordre du colonel de La Rocque.

Au lendemain de la victoire du Front populaire,

1936

12 JUIN

OUVRIERS EN GRÈVE OCCUPANT LEUR CHANTIER
Les grèves, commencées en mai, se poursuivent le mois suivant. Voici, le 12 juin, les ouvriers des chantiers de constructions navales de Bordeaux qui occupent les ateliers. L'ambiance est festive : on chante et, surtout, on danse entre hommes au son de l'accordéon...

JUIN

ACQUIS DU FRONT POPULAIRE
En juin, après les accords de Matignon, de nombreux décrets sont adoptés, qui modifient considérablement la vie et le sort des travailleurs : outre les congés payés, les quarante heures et les augmentations de salaire, le prix minimum des grains est surveillé par l'Office national du blé.

un vaste mouvement de grève se développe dans toute la France.

1936

13 JUIN

MANIFESTATION D'OUVRIERS AU BOIS DE VINCENNES
Le 13 juin, avant la reprise du travail, qui est effective partout en France à partir du 15 juin, les ouvriers du bâtiment manifestent ici au bois de Vincennes, sous la bannière, notamment, du Parti communiste français. Le taux de syndicalisation va passer de 10 % en mai à plus de 50 % de moyenne à la fin de juin.

ÉTÉ 1936, LES PREMIERS CONGÉS PAYÉS

Être payé à ne rien faire ! Un rêve jusqu'en 1936 ? Pas vraiment : certains vivaient déjà ce temps de congés payés, mais ces expériences demeuraient isolées. C'était le cas au journal *L'Information*, par exemple, un quotidien économique et financier. En 1922, Léon Blum y rédige des articles, et cette idée de congés payés ne le quitte plus. Pour tenter de la mettre en pratique, il lui faut attendre 1936 et l'immense vague d'espoir que suscitent les élections du 3 mai, qui donnent la victoire aux forces de la gauche. Près de 2 millions d'ouvriers se mettent spontanément en grève afin de créer la pression nécessaire pour que soient prises des décisions en leur faveur. Léon Blum est chargé de former un nouveau gouvernement.

LES ACCORDS DE MATIGNON

Les 7 et 8 juin 1936, à la demande de Léon Blum, des négociations s'ouvrent entre le patronat et la CGT. Peu avant 1 h du matin, le 8 juin, les accords de Matignon sont signés, entérinés par les lois votées pendant l'été

1 | BILLETS POPULAIRES
DES MESURES sociales sont adoptées pour favoriser le départ en congés payés. Le sous secrétaire d'état aux sports et aux loisirs, Léo Lagrange, obtient 40 % de réduction sur les billets de train. 550 000 personnes en bénéficient dès l'été 1936.

2 | SUR LE QUAI
VOIR LA MER ! C'est le rêve des grands et des petits. Les épuisettes sont sorties. Les seaux et les pelles aussi. Le château de sable va connaître ses heures de gloire. Et le bronzage à la mode fait rougir femmes et hommes. Mais heureusement, l'ambre solaire arrive...

1

2

3

1936. Ces accords prévoient, entre autres : l'augmentation de 7 à 15 % des salaires, quarante heures de travail hebdomadaire – au lieu de quarante-huit. Les congés payés, la cerise estivale sur le gâteau des loisirs naissants ! Quinze jours à ne rien faire, sans perte de salaire ! Bientôt va commencer – pacifiste après celle, belliciste, de 1914 – une nouvelle course à la mer...

L'ESSOR DES LOISIRS

Dès que les ouvriers apprennent, avec une grande surprise et de l'incrédulité, qu'ils vont pouvoir être « libres » pendant douze jours sans perte de salaire, ce n'est pas l'immense ruée vers la mer qu'on imagine. Il y en a qui restent chez eux, qui bricolent, qui font leur jardin, il y en a qui en profitent pour aller voir leur famille, ou une maison dont ils ont hérité. Mais, quand même, beaucoup rêvent de voir la mer. La bourgeoisie l'a conquise, le peuple va la prendre d'assaut. On répare les routes, on les élargit, on les couvre d'asphalte, le Touring Club de France fait implanter des panneaux indicateurs, les panneaux Michelin. On multiplie la signalisation routière. L'épicerie héberge des pompes à essence (à bras). Les premiers garages apparaissent, pour réparer les mécaniques fatiguées, remplacer les pneus fragiles.

À la ruée vers la mer et la campagne s'associe le moyen le plus pratique et le plus rapide pour héberger une petite famille ou un couple d'amoureux : la tente de camping. On l'installe n'importe où, sans souci de sécurité ou de salubrité, c'est la période la plus sauvage du camping. Face à cette réalité nouvelle, on crée un sous-secrétariat d'État aux Sports et aux Loisirs. Léo Lagrange, député du Nord, est nommé ministre des Loisirs. Il faut canaliser les travailleurs vers des activités de plein air, de tourisme : on crée des organisation culturelles populaires. Il faut penser à la jeunesse, lui offrir des espaces de détente, de jeu, on promeut les colonies de vacances, les bains de mer se développent.

3 | LA ROUTE NATIONALE 7
LA ROUTE DES VACANCES, ici immortalisée par Robert Doisneau permet aux vacanciers de rejoindre la Côte d'Azur.

4 | RETOUR À TANDEM
REPOSÉ, on reprend le tandem ou la petite voiture pour une année, avant les prochains congés payés...

5 | À DEAUVILLE
SUR LA PLAGE de Deauville, jusqu'alors réservée aux privilégiés, on voit arriver les premiers « congés payés » avec prudence et circonspection. Finalement, les styles se mélangent dans un joyeux partage des rayons de soleil et du sable chaud.

4

5

8 JUIN

TERRASSIERS EN GRÈVE SUR LEUR CHANTIER DU TROCADÉRO

Le 8 juin, les terrassiers travaillant aux pavillons de l'Exposition universelle de 1937 se sont mis en grève. Ils occupent les chantiers, comme ici, sur la terrasse du Trocadéro en cours de construction. C'est ce jour-là, peu avant 1 h du matin, que les accords de Matignon sont signés.

L'Exposition universelle de 1936, retardée par des grèves,

24 MAI

INAUGURATION DE L'EXPOSITION UNIVERSELLE

Le 24 mai, l'Exposition universelle est inaugurée. Elle devait l'être le 1er mai, mais des sabotages et des incidents de grèves en ont retardé l'ouverture. On aperçoit au fond le palais de Chaillot, construit à cette occasion. À gauche, le pavillon soviétique fait face au pavillon germanique. Au centre, le pont d'Iéna.

24 MAI

LA FOULE SE PRESSE À L'EXPOSITION UNIVERSELLE

C'est le président Albert Lebrun qui inaugure l'Exposition universelle. Le tableau monumental de Picasso, *Guernica,* ville bombardée lors de la guerre d'Espagne, peint à Paris, est exposé au pavillon de la République espagnole, qui ouvre le 12 juillet. L'exposition accueille 30 millions de visiteurs.

reste malgré tout un véritable succès.

1938

30 SEPTEMBRE

CHAMBERLAIN ET DALADIER SIGNENT LES ACCORDS DE MUNICH
Les 29 et 30 septembre, à l'initiative de Mussolini, Chamberlain, l'Anglais, et Daladier, le Français, vont rencontrer Adolf Hitler à Munich afin d'arrêter l'engrenage conduisant à une nouvelle guerre européenne. Le chancelier allemand prétend que les Sudètes sont sa dernière revendication territoriale, mais personne n'est dupe : la guerre est imminente.

Malgré la tentative des dirigeants anglais et français de maintenir la paix,

30 SEPTEMBRE

LA FOULE ACCLAME DALADIER À SON RETOUR
Le 30 septembre, après l'atterrissage de son avion au Bourget, le président du Conseil, Édouard Daladier, quitte l'aérodrome avec Georges Bonnet, ministre des Affaires étrangères, qui a signé les accords de Munich. La foule enthousiaste se presse autour de leur voiture.

les accords de Munich ne suffisent pas à éviter la guerre imminente.

1938

28 OCTOBRE

LES NOUVELLES GALERIES DE MARSEILLE DÉTRUITES PAR LES FLAMMES

Le 28 octobre, à Marseille, les Nouvelles Galeries sont ravagées par un terrible incendie qui fait 73 morts. Cet incendie, qui révèle le manque de moyens de la ville pour lutter contre le feu, est à l'origine de la création en 1939 du bataillon de marins pompiers de Marseille.

11 NOVEMBRE

LA NUIT DE CRISTAL EN ALLEMAGNE

Dans la nuit du 9 au 10 novembre, les S.A., organisation paramilitaire du parti nazi, et des civils ont attaqué, détruit et brûlé des commerces appartenant à des Juifs, dont ils ont assassiné un grand nombre. Ce pogrom, appelé « la Nuit de cristal », préfigure le sort terrible qui attend les Juifs dans les années qui suivent. On voit ici, le 11 novembre, la vitrine d'un commerçant juif saccagée.

1939

8 FÉVRIER

LES RÉFUGIÉS ESPAGNOLS DU CAMP D'ARGELÈS-SUR-MER
Le 8 février, les réfugiés espagnols, pour la plupart républicains et membres des Brigades internationales, fuyant le régime franquiste, sont détenus sous l'autorité française dans le camp d'Argelès-sur-Mer. Organisé et construit sur la plage, ce camp accueille, jusqu'en 1941, près de 200 000 réfugiés espagnols.

Pour fuir le régime franquiste,

9 FÉVRIER

DES ENFANTS ESPAGNOLS CONDUITS AU PERTHUS
Le 9 février, face aux victoires franquistes en Espagne, des enfants espagnols sont emmenés au Perthus, à la frontière française, avec, comme seul bien, leur poupée. La guerre civile espagnole a servi aux armées allemandes et italiennes de terrain d'entraînement et d'expérimentation pour les armes et les nouvelles techniques de terreur sur les populations.

de nombreux Espagnols se réfugient en France.

SEPTEMBRE 1944 EXPLOSION D'UNE BOMBE À PHOSPHORE À BREST.

LA SECONDE GUERRE MONDIALE

La Seconde Guerre mondiale commence de façon étrange. En effet, l'armée française semble attendre un ennemi qui a choisi une date à sa convenance pour engager les hostilités, sans prévenir personne ! Mais la guerre va, hélas, commencer ses ravages, diviser le pays. Les mouvements de résistance naissent, s'organisent, agissent au prix de mille dangers. La collaboration se développe dans le même temps. Le conflit mondial va faire subir aux Juifs de terribles souffrances, avant que les Alliés arrivent enfin et libèrent le pays et l'Europe du nazisme.

1939

SEPTEMBRE

LE DÉPART DES RÉSERVISTES À LA GARE DU NORD
Prague est occupée par les Allemands le 15 mars.
La Pologne, avec laquelle l'Angleterre a signé un traité d'alliance, est envahie le 1er septembre. Le 3 septembre, l'Angleterre et la France déclarent la guerre à l'Allemagne.
On voit ici le départ des réservistes à la gare du Nord.

Cette année-là aussi... Le 17 juin, Eugène Weidmann, coupable d'une série de meurtres, est guillotiné. En raison du comportement de la foule, Albert Lebrun interdit les exécutions publiques.

1939

5 SEPTEMBRE

LES ŒUVRES D'ART SONT MISES EN LIEU SÛR

Le 5 septembre, deux jours après la déclaration de guerre, la menace d'une invasion rapide, avec toutes ses conséquences désastreuses, plane sur la France.
À Paris, les œuvres d'art sont mises en lieu sûr. La grande galerie du Louvre est dégarnie de ses tableaux…

20 SEPTEMBRE

DES COMMERÇANTS PROTÈGENT LEUR BOUTIQUE

Le 20 septembre, la crainte d'une attaque aérienne s'accroît. Nul ne sait quand l'invasion que tout le monde redoute peut avoir lieu. L'attente devient angoissante, et les habitants tentent de se protéger. Ainsi, des commerçants recouvrent leur devanture de papier gommé afin de se protéger d'éventuels bombardements.

1940

MARS

DES MARSEILLAIS VONT CHERCHER LEURS DENRÉES ALIMENTAIRES
En mars 1940, à l'initiative du président du Conseil Paul Reynaud, un système de rationnement est instauré en France. La défaite interrompt son application. Un second système, avec cartes et tickets, est mis en place par le gouvernement de Vichy, afin de répartir de manière égalitaire les denrées alimentaires disponibles. Les files d'attente commencent – ici, à Marseille.

JUIN

UNE COLONNE DE RÉFUGIÉS PENDANT L'EXODE

Le 14 juin, les Allemands entrent dans Paris. Le gouvernement a fui à Tours, puis à Bordeaux. Le maréchal Pétain signe l'armistice avec l'envahisseur le 22 juin. Le cessez-le-feu intervient trois jours plus tard. Presque 10 millions de Français fuient vers le Sud, à pieds, à vélo, en voiture ou en camion. Sur les routes, les colonnes de réfugiés sont menacées par les Stukas, avions allemands, qui les mitraillent.

1940

JUIN

DUNKERQUE BOMBARDÉE

Les bombardements allemands occasionnent des dégâts très importants dès les premières semaines de la *Blitzkrieg*, la guerre éclair. À partir du 18 mai, la ville de Dunkerque est bombardée. Les attaques aériennes s'intensifient. Le 27 mai, la ville subit un déluge de feu. Le 4 juin, l'armée allemande en prend possession. Les rues offrent un spectacle de désolation.

1940

2 JUILLET

DE GAULLE INTERVIENT SUR LA BBC
Pendant que Hitler visite Paris, le général de Gaulle s'est rendu à Londres, où il retrouve Churchill. Apprenant que Pétain demande l'armistice, il lance, de la BBC, un premier appel à résister à l'occupant, le 18 juin, appel qui n'a pas été enregistré. De Gaulle lance plusieurs autres appels à la résistance dans les jours qui suivent. Le voici filmé le 2 juillet pour les actualités de la BBC.

Alors que le maréchal Pétain signe l'armistice, depuis Londres,

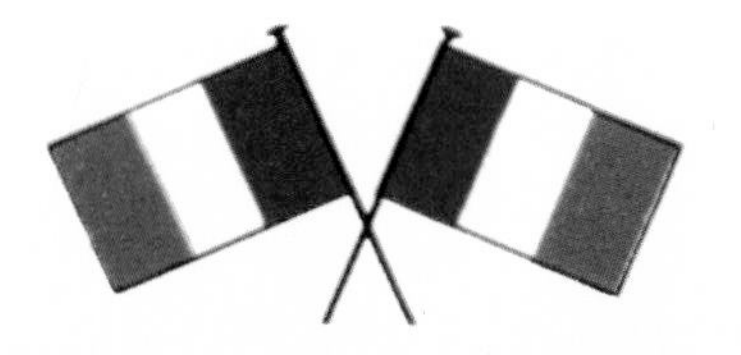

A TOUS LES FRANÇAIS

La France a perdu une bataille!
Mais la France n'a pas perdu la guerre!

Des gouvernants de rencontre ont pu capituler, cédant à la panique, oubliant l'honneur, livrant le pays à la servitude. Cependant, rien n'est perdu!

Rien n'est perdu, parce que cette guerre est une guerre mondiale. Dans l'univers libre, des forces immenses n'ont pas encore donné. Un jour, ces forces écraseront l'ennemi. Il faut que la France, ce jour-la, soit présente à la victoire. Alors, elle retrouvera sa liberté et sa grandeur. Tel est mon but, mon seul but!

Voila pourquoi je convie tous les Francais, où qu'ils se trouvent, à s'unir à moi dans l'action, dans le sacrifice et dans l'espérance.

Notre patrie est en peril de mort.
Luttons tous pour la sauver!

VIVE LA FRANCE !

TO ALL FRENCHMEN..

France has lost a battle!
But France has not lost the war!

LONG LIVE FRANCE!

C. de Gaulle

GÉNÉRAL DE GAULLE

QUARTIER-GÉNÉRAL,
4, CARLTON GARDENS,
LONDON, S.W.1.

JUILLET

LE MESSAGE DU GÉNÉRAL DE GAULLE
Souvent associée à l'appel du 18 juin lancé de la BBC par le général de Gaulle, la formule choc « La France a perdu une bataille ! Mais la France n'a pas perdu la guerre ! » n'apparaît qu'à la fin de juillet sur une affiche placardée à Londres.

Cette année-là aussi... Le 21 juin, 27 parlementaires, désireux de poursuivre la lutte à partir de l'Afrique du Nord, embarquent près de Bordeaux sur le *Massilia* en direction de Casablanca. Parmi eux, Édouard Daladier et Pierre Mendès France. ... Le 3 juillet, les Britanniques bombardent la flotte française basée à Mers el-Kébir, près d'Oran, en Algérie : 1 297 marins sont tués.

le général de Gaulle appelle les Français à résister à l'occupant.

22 JUIN

SIGNATURE DE L'ARMISTICE
Le 22 juin, le général Huntziger signe, au nom de la France, l'armistice avec l'Allemagne. Hitler, Göring, Keitel et Brauchitsch assistent à cette signature en forêt de Compiègne, dans la clairière de Rethondes et dans le wagon même où fut signé l'armistice de 1918. Hitler ordonne alors que le wagon soit transporté à Berlin.

Peu après la signature de l'armistice,

11 JUILLET

LES DÉBUTS DU RÉGIME DE VICHY

Autoproclamé chef de l'État français le 11 juillet 1940, le maréchal Pétain s'installe à Vichy avec son gouvernement. On voit ici Pétain et l'amiral Darlan. Le gouvernement de Vichy va relayer avec zèle l'idéologie nazie. Pendant que des Français collaborent, d'autres résistent à l'occupant au prix de leur vie.

24 OCTOBRE

PÉTAIN ET HITLER OFFICIALISENT LEUR COOPÉRATION

Le 24 octobre, Hitler et le maréchal Pétain se serrent la main après leur entretien dans un wagon blindé, sous un tunnel proche de la gare de Montoire-sur-le-Loir. Une politique de collaboration vient d'être définie, mais les termes n'en sont pas connus.

le régime de Vichy se met en place.

1940

OCTOBRE

PREMIÈRES MESURES RACIALES
Avant que les Allemands ne l'aient demandé, le régime de Vichy promulgue le 3 octobre un statut des Juifs. Toute une série de professions leur sont interdites. La mention « Juif » doit figurer sur leur carte d'identité. Le 4 octobre, Pétain promulgue une loi autorisant l'internement des Juifs étrangers.

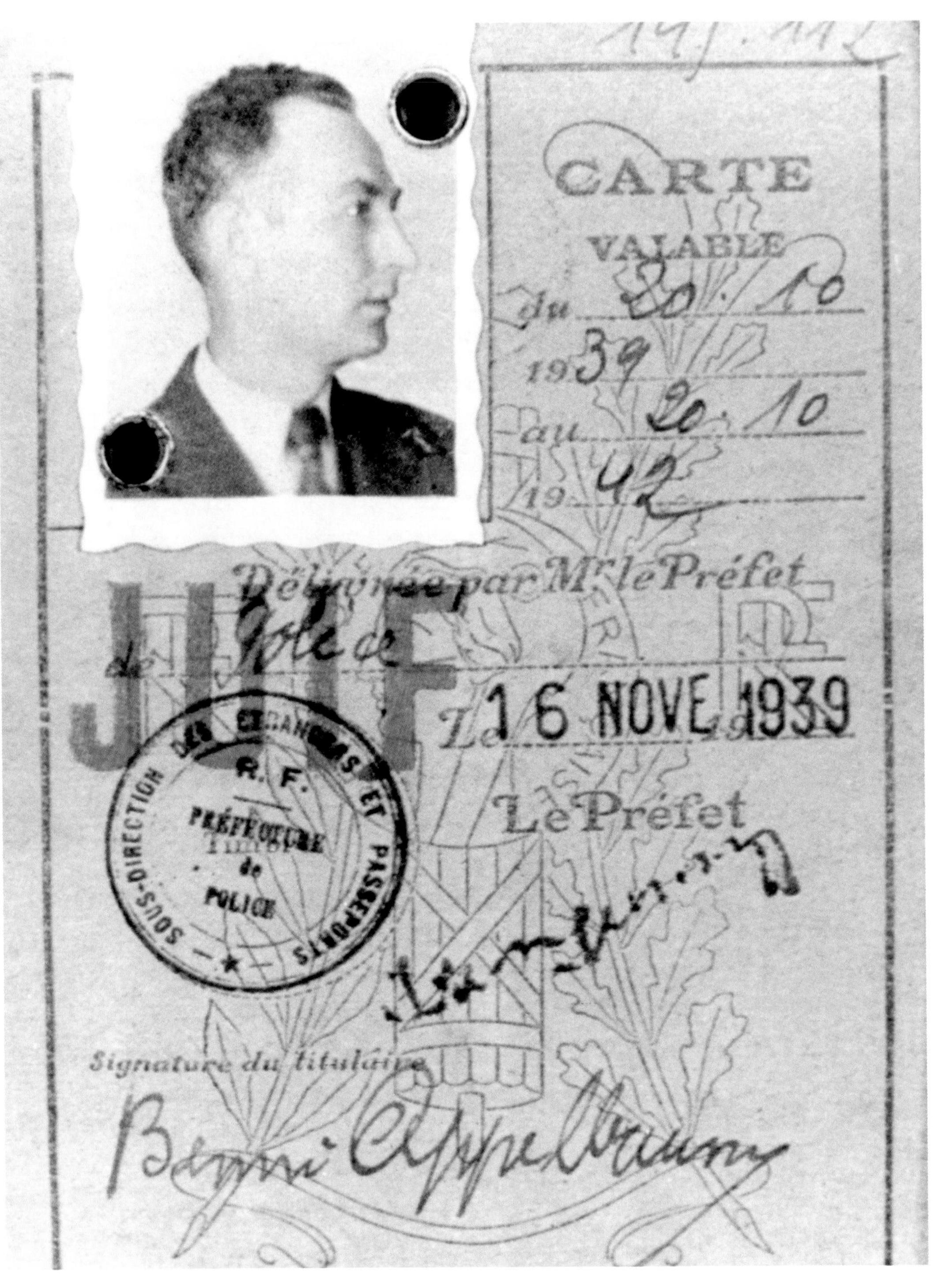

Cette année-là aussi... Le 17 octobre, après de très fortes précipitations, les cours d'eau des Pyrénées-Orientales connaissent des crues spectaculaires. On compte 300 victimes environ.

Avant même que l'Allemagne ne le réclame,

14 MAI

DES MILLIERS DE JUIFS CONVOQUÉS À LA GARE D'AUSTERLITZ

Le 14 mai 1941, se déroule la première grande rafle de Juifs en France. Originaires de Pologne pour la plupart, ils sont 3 747 à répondre à la convocation qu'ils ont reçue. Rassemblés, ils vont gagner sous escorte la gare d'Austerlitz, puis être conduits dans les camps d'internement de Pithiviers et Beaune-la-Rolande, dans le Loiret.

1941 LE CAMP DE DRANCY, AU NORD-EST DE PARIS.

1941

BEKANNTMACHUNG

Feige Verbrecher, die im Solde Englands und Moskaus stehen, haben am Morgen des 20. Oktober 1941 den Feldkommandanten in Nantes hinterruecks erschossen. Die Taeter sind bisher nicht gefasst.

Zur Suehne fuer dieses Verbrechen habe ich zunaechst die Erschiessung von 50 Geiseln angeordnet.

Falls die Taeter nicht bis zum Ablauf des 23. Oktober 1941 ergriffen sind, werden im Hinblick auf die Schwere der Tat weitere 50 Geiseln erschossen werden.

Fuer diejenigen Landeseinwohner, die zur Ermittlung der Taeter beitragen, setze ich eine Belohnung im Gesamtbetrag von

15 MILLIONEN FRANKEN

aus.

Zweckdienliche Mitteilungen, die auf Wunsch vertraulich behandelt werden, nimmt jede deutsche oder franzoesische Polizeidienststelle entgegen.

Paris, den 21. Oktober 1941.

Der Militärbefehlshaber in Frankreich
von STÜLPNAGEL
General der Infanterie.

AVIS

De lâches criminels, à la solde de l'Angleterre et de Moscou, ont tué, à coups de feu tirés dans le dos, le Feldkommandant de Nantes (Loire-Inf.), au matin du 20 Octobre 1941. Jusqu'ici les assassins n'ont pas été arrêtés.

En expiation de ce crime, j'ai ordonné préalablement de faire fusiller 50 otages.

Étant donné la gravité du crime, 50 autres otages seront fusillés au cas où les coupables ne seraient pas arrêtés d'ici le 23 Octobre 1941 à minuit.

J'offre une récompense d'une somme totale de

15 MILLIONS DE FRANCS

aux habitants du pays qui contribueraient à la découverte des coupables.

Des informations utiles pourront être déposées à chaque service de police allemand ou français. Sur demande, ces informations seront traitées confidentiellement.

Paris, le 21 Octobre 1941.

Der Militärbefehlshaber in Frankreich
von STÜLPNAGEL
General der Infanterie.

OCTOBRE

L'AVIS DE RECHERCHE DES AUTEURS DE L'ATTENTAT MEURTRIER CONTRE LE LIEUTENANT-COLONEL HOTZ

Au matin du 20 octobre 1941, le lieutenant-colonel Hotz, Feldkommandant responsable des troupes d'occupation pour le département de Loire-Inférieure, est abattu près de la cathédrale de Nantes par trois résistants : Gilbert Brustlein, Marcel Bourdarias et Spartaco Guisco, membres de la branche armée de la résistance communiste.

Suite à l'assassinat d'un officier allemand,

22 OCTOBRE

LA RIPOSTE NAZIE : 48 OTAGES FUSILLÉS

Le 22 octobre, deux jours après l'attentat de Nantes, les nazis fusillent en représailles 48 otages provenant du camp de prisonniers de Châteaubriant, de la prison de Nantes et du fort de Romainville près de Paris. Sur cette photo, prise au camp de Choisel à Châteaubriant, on aperçoit Charles Michels, Jean-Pierre Timbaud et, debout au troisième rang, cinquième à partir de la droite, Guy Môquet, dix-sept ans, le plus jeune des otages fusillés.

Cette année-là aussi... Le 29 août, Honoré d'Estienne d'Orves, envoyé de la France libre, est exécuté au mont Valérien.

48 otages sont fusillés par les nazis.

1942

JUIFS À LEUR ARRIVÉE AU CAMP DE DRANCY
Le flux des Juifs qui vont être déportés ne tarit pas au camp de Drancy. Les convois s'ébranlent régulièrement vers les camps de la mort, vers Auschwitz-Birkenau. Chacun emporte son maigre bagage. Ici, des adultes, des enfants qui viennent d'arriver à Drancy, ignorant encore le sort qui les attend.

UN BUS DE JUIFS AMENÉS À DRANCY
Des bus entiers se succèdent à l'entrée du camp de Drancy. Les victimes des rafles successives opérées contre les Juifs en descendent, encadrées par les gendarmes français. Le 27 mars, le premier convoi de déportés quitte la gare du Bourget : 1 112 internés de Drancy sont entassés dans des wagons à bestiaux. Jusqu'à la frontière allemande, les gendarmes français et un officier SS encadrent ce convoi.

À partir du 27 mars 1942, les convois de déportés juifs

LE CAMP DE PITHIVIERS
Six convois vont partir de Pithiviers les 25 juin, 17 juillet, 31 juillet, 3 août et 21 septembre 1942, transportant 6 079 Juifs – sur les 42 000 déportés juifs de l'année 1942, entre mars et novembre – vers Auschwitz-Birkenau pour y être exterminés.

Cette année-là aussi... Le 25 août, parce qu'ils sont considérés comme des Allemands, 100 000 jeunes Alsaciens et 30 000 jeunes Mosellans sont contraints de s'engager dans la Wehrmacht. Plus de 30 000 d'entre eux meurent en URSS. 32 000 sont blessés et 10 000 sont portés disparus.

se succèdent vers les camps de la mort.

1942

MAQUISARDS FRANÇAIS
Depuis l'appel du général de Gaulle, la Résistance s'est organisée. Elle agit clandestinement et adopte les techniques de la guérilla pour harceler l'occupant. Les résistants se retrouvent dans des lieux isolés, des forêts, des « maquis » au sens général du terme. Découverts, ces maquis subissent les attaques meurtrières allemandes, tels ceux du Vercors, des Glières, de Saffré, des Vosges...

15 OU 16 JUILLET

LA RAFLE DU VÉL' D'HIV, DÉPORTÉS JUIFS AU CAMP DE PITHIVIERS
Pierre Laval, chef du gouvernement de Vichy, jugeant insuffisante l'ardeur déployée pour arrêter les Juifs, décide d'organiser une vaste rafle du 16 au 30 juillet 1942, mise en œuvre par 7 000 policiers français. Les Juifs arrêtés sont conduits au vélodrome d'Hiver, puis à Drancy, à Pithiviers ou à Beaune-la-Rolande avant d'être déportés à Auschwitz.

OCTROI

1942

LIGNE DE DÉMARCATION SÉPARANT LA ZONE LIBRE ET LA ZONE OCCUPÉE
Depuis le 22 juin 1940, une ligne de démarcation sépare la zone libre de la zone occupée. On voit ici des civils qui, se rendant en zone occupée, font vérifier leurs papiers d'identité par les nazis. Le 11 novembre 1942, après le débarquement allié en Afrique du Nord, les Allemands franchissent cette ligne de démarcation. Ils envahissent la zone libre.

1942

27 NOVEMBRE

LA FLOTTE FRANÇAISE SABORDÉE À TOULON

Le 27 novembre, la flotte française, stationnée à Toulon, intacte depuis le début de la guerre, est sur le point d'être capturée par l'armée allemande. C'est alors que l'amiral Jean de Laborde en ordonne le sabordage ; 90 % des navires de guerre sont détruits. Après le sabordage, les chars allemands pénètrent dans le port de Toulon.

Cette année-là aussi... Le 28 mars sont créés les FTPF, Francs-tireurs et partisans français, contrôlés par les communistes.

LA MILICE FRANÇAISE
Organisation politique et paramilitaire, la milice française est créée par une loi publiée au Journal officiel le 30 janvier 1943. Elle est commandée par Joseph Darnand. Nationaliste, antisémite, anticommuniste, utilisant la délation, la torture, l'exécution sommaire, cette organisation va se montrer fort zélée dans la traque des Juifs, étonnant même l'occupant.

DÉFILÉ DE LA MILICE SUR LES CHAMPS-ÉLYSÉES
Supplétifs de la Gestapo, les miliciens défilent ici sur les Champs-Élysées, peu de temps après la création de leur mouvement. En août, leur chef Joseph Darnand est nommé Obersturmfürher dans la Waffen-SS. Il prête un serment de fidélité personnel à Hitler.
Le 30 décembre, il est nommé secrétaire d'État.

1943 RASSEMBLEMENT D'ORGANISATIONS MILITAIRES DE COLLABORATION ET D'OFFICIERS NAZIS.

1943

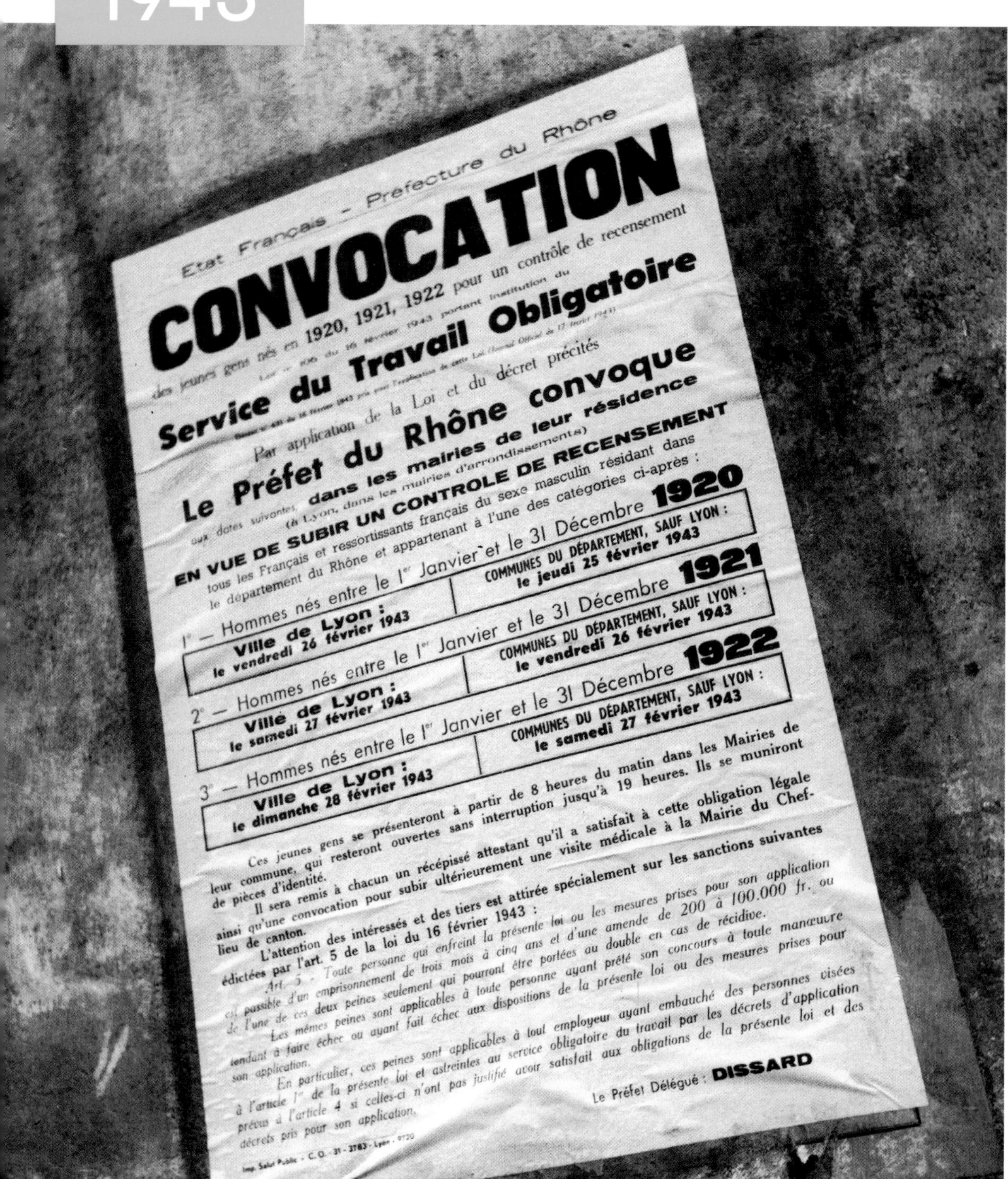

LE STO
Le 22 juin 1942, Pierre Laval avait annoncé la « relève » : il s'agissait d'accepter les conditions imposées par l'Allemagne nazie : pour trois travailleurs volontaires français envoyés en Allemagne, un prisonnier de guerre revenait en France. Plus de 600 000 travailleurs vont ainsi participer au STO, le Service du travail obligatoire, dont voici l'affiche de convocation placardée à Lyon en 1943.

1943

21 JUIN

ARRESTATION DE JEAN MOULIN

Les mouvements de résistance reconnaissent Charles de Gaulle pour chef de la France Libre. Il envoie en zone occupée l'ancien préfet Jean Moulin afin de les unir dans le Conseil national de la Résistance. Mais, le 21 juin, il est arrêté à Caluire-et-Cuire, sur dénonciation. Torturé à Lyon, il ne livre aucun renseignement aux nazis. Il meurt probablement dans le train qui le conduit en Allemagne.

1943

24 NOVEMBRE

TOULON DÉTRUITE PAR L'AVIATION ALLIÉE

Le 24 novembre 1943, l'aviation anglo-américaine bombarde la ville de Toulon, où les Allemands ont établi leur base sous-marine, au Mourillon. À 13 h 10, plus de 100 bombardiers Boeing lâchent leur charge sur l'arsenal. La cible est atteinte, mais les quartier proches aussi. Ce bombardement coûte la vie à plus de 400 personnes.

1944

6 AVRIL

RAFLE DES ENFANTS JUIFS RÉFUGIÉS DANS UNE PENSION À IZIEU

Le 6 avril, la Gestapo investit brutalement les locaux d'une colonie d'enfants juifs réfugiés, à Izieu, dans l'Ain, dirigée par Miron et Sabine Zlatin. Ces enfants, au nombre de 44, sont arrêtés, de même que les adultes qui s'occupent d'eux. Le lendemain, tous sont transférés à Drancy.

Aucun des enfants juifs réfugiés à Izieu

6 AVRIL

LES ENFANTS D'IZIEU

Les 44 enfants juifs qui sont arrêtés à Izieu le 6 avril, sur ordre de Klaus Barbie, chef de la Gestapo de Lyon, proviennent de différents pays : Algérie, Allemagne, Autriche, Belgique, France. Pas un seul ne reviendra des camps de la mort. Leurs accompagnateurs y disparaissent aussi. Seule Sabine Zlatin, absente au moment de la rafle, survivra et maintiendra vivante la mémoire des enfants.

ne reviendra des camps de la mort.

1944

MAI

SABOTAGE DE VOIE FERRÉE

La Résistance est active en France, et de nombreux sabotages de lignes électriques ou de voies ferrées entravent les activités de l'occupant nazi. Ainsi, en mai, à Toulon, un transformateur est détruit, provoquant le déraillement d'un train chargé de blé à destination de l'Allemagne. La Résistance intérieure et les troupes alliées libèrent la ville le 27 août.

La résistance s'organise partout en France,

1944

MEMBRES DU GMO 18
Les résistants, au péril de leur vie, agissent dans l'ombre, menacés des pires représailles s'ils sont capturés. On voit ici un groupe de résistants à Boussoulet, en Haute-Loire. Ils sont rassemblés autour de l'aspirant Albert Oriol, avec Louis Dulac et Louis Guillot, premiers arrivés au maquis baptisé « GMO 18 juin » en septembre 1943.

Cette année-là aussi... Le 20 mars, Pierre Pucheu, industriel qui avait fait partie des Croix de Feu et du parti populaire français, est exécuté à Alger en raison du rôle qu'il a joué en tant que secrétaire d'état à l'Intérieur du gouvernement de Vichy, de 1941 à 1942.

les maquisards œuvrent dans l'ombre au péril de leur vie.

1944

6 JUIN

SOLDATS ALLIÉS ARRIVANT À OMAHA BEACH
Il fait trop mauvais temps, le 5 juin. Le débarquement prévu ce jour-là en Normandie est reporté au lendemain, le 6 juin. C'est le D-Day, le jour J, le début de la libération par les Alliés des territoires que les nazis occupent depuis quatre ans ; 156 000 hommes débarquent sur les plages entrées dans l'Histoire sous le nom d'Omaha Beach, Utah Beach, Juno, Gold, Sword Beach...

Le 6 juin 1944, le débarquement allié débute,

6 JUIN

LES ALLIÉS DÉBARQUENT EN NORMANDIE
Le jour J, mardi 6 juin, 864 cargos, 736 navires de soutien, 1 213 bateaux de guerre, et 4 126 engins et péniches débarquent 20 000 véhicules et les soldats prêts à l'assaut sur les plages de Normandie. Des centaines d'avions larguent des milliers de parachutistes, des planeurs atterrissent tant bien que mal avec du matériel lourd. Les forces alliées sont commandées par le général Eisenhower.

les alliés débarquent par milliers.

6 JUIN LES SOLDATS AMÉRICAINS INVESTISSENT LA PLAGE.

US 139

6 JUIN

PARACHUTAGES DE MUNITIONS ET DE VIVRES POUR LES MAQUISARDS
Avant le débarquement, de nombreux parachutages de munitions et de vivres ont permis aux maquisards français de poursuivre leurs actions de sabotage : ponts et voies ferrées sont détruits. Le 6 juin, ces actions se multiplient et contribuent à l'avancée victorieuse des troupes alliées.

JUIN

SOLDATS AMÉRICAINS À ISIGNY
Des soldats américains fraternisent avec un jeune garçon et des jeunes filles d'Isigny-sur-Mer, en Normandie, en juin. Ce petit village est durement touché par les bombardements et les combats dans les premiers jours du débarquement. Isigny est libérée le 9 juin par le 175e régiment d'infanterie et la 29e division américaine, soutenus par les blindés.

1944

10 JUIN

LE MASSACRE D'ORADOUR-SUR-GLANE

Après le débarquement du 6 juin, les maquis du Limousin accroissent leurs actions contre l'occupant. Celui-ci se venge lors d'une expédition contre le petit village d'Oradour-sur-Glane. Le 10 juin, les Allemands débarquent dans les rues d'Oradour et rassemblent les 189 hommes, qui sont mitraillés. Les 247 femmes et les 206 enfants rassemblés dans l'église sont brûlés vifs.

1944

AOÛT

LA LIBÉRATION DE PARIS

Le 22 août, la 2e DB du général Leclerc fonce sur Paris. Les combats sont acharnés dans la capitale. Victorieux, Leclerc reçoit la reddition du général von Choltitz le 25 août, à la gare Montparnasse.
On voit ici un soldat américain et des membres des Forces françaises de l'intérieur (les FFI) tirer sur des soldats allemands.

Des combats acharnés sont menés

25 AOÛT

LES FFI LIVRENT UN SOLDAT ALLEMAND À LA POLICE
Le 25 août, des scènes similaires à celle-ci se répètent dans la capitale, qui vient d'être libérée : des membres des Forces françaises de l'intérieur encadrent un soldat allemand arrêté et le conduisent au poste de police.

Cette année-là aussi… Le 17 août, de Drancy part le dernier convoi de déportés vers l'Allemagne. Raoul Nordling, consul de Suède, obtient la libération de près de 4 000 prisonniers.

pour la libération de Paris.

1944

AOÛT

FEMMES TONDUES EXPOSÉES AUX YEUX DE TOUS
À partir du mois d'août, les femmes qui ont entretenu avec l'ennemi des relations jugées trop amicales, ambiguës ou intimes, celles qui ont affiché une relation amoureuse avec un Allemand sont punies en public. La population les contraint à expier par la honte en leur imposant une tonte publique. Plus de 20 000 femmes sont tondues en France, jusqu'en 1945.

1944

24 OU 25 AOÛT

LE GÉNÉRAL LECLERC LORS DE LA LIBÉRATION DE PARIS
Le général Leclerc vient d'entrer dans Paris par la porte d'Orléans. La veille, le 24 août, les premiers véhicules de la 2e DB, sous les ordres du capitaine Dronne, sont entrés dans la capitale par la Porte d'Italie et ont atteint l'Hôtel de Ville.

1944

26 AOÛT

DE GAULLE ET LECLERC SUR LES CHAMPS-ÉLYSÉES

Le 26 août, le général de Gaulle et le général Leclerc descendent ensemble les Champs-Élysées. La veille, place de l'Hôtel-de-Ville, de Gaulle prononçait cette phrase demeurée dans toutes les mémoires : « Paris, Paris outragé ! Paris brisé ! Paris martyrisé ! Mais Paris libéré !... libéré par lui-même, libéré par son peuple, avec le concours des armées de la France... »

26 AOÛT

À PARIS, LA FOULE EN LIESSE ACCUEILLE LE GÉNÉRAL DE GAULLE

La foule en liesse fait un triomphe au Général de gaulle qui descend les Champs-Élysées, précédé par quatre chars de la 2e DB. Des banderoles à son nom ont été préparées et sont agitées à son passage ; le sourire est revenu sur les lèvres des Parisiennes et des Parisiens.

après les années de privation et de souffrance qu'elle a subies.

1945

29 AVRIL

LES FEMMES VOTENT POUR LA PREMIÈRE FOIS

Le 29 avril, au premier tour des élections municipales, les femmes votent pour la première fois. Le droit de vote leur a été accordé le 21 avril 1944 par le Comité français de la Libération nationale, droit confirmé par une ordonnance du 5 octobre. Il faut attendre ce 29 avril pour l'inaugurer. Le 21 octobre, pour les élections à l'Assemblée constituante, les femmes voteront pour la deuxième fois.

1945

7 MAI

CAPITULATION DE L'ALLEMAGNE
Le 7 mai, dans une salle du collège moderne de garçons de Reims, quartier général du général Eisenhower, le général Alfred Jodl, du haut commandement allemand – au centre –, signe l'acte de reddition de toutes les forces terrestres, navales et aériennes allemandes. Le 8 mai, peu avant minuit, la seconde capitulation de l'Allemagne est signée dans une villa de la banlieue est de Berlin.

1945

DES MANIFESTANTS RÉCLAMENT LA CONDAMNATION DES COLLABORATEURS
L'enthousiasme de la Libération s'accompagne d'un désir de vengeance contre les collaborateurs. Des règlements de comptes se multiplient, et des exécutions sommaires font office de justice. Plus de 10 000 personnes meurent dans ces conditions avant que l'épuration judiciaire ne prenne le relais et conduise à plus de 100 000 condamnations, allant de la prison à la peine de mort.

1945

***MON VILLAGE À L'HEURE ALLEMANDE,* GONCOURT 1945**
Alors qu'il participe aux maquis d'Orléans et d'Angerville, Jean-Louis Bory écrit pendant la guerre, dans sa ville natale de Méréville, en Beauce, un roman qu'il intitule *Mon Village à l'heure allemande.* Publié en 1945, ce roman obtient le prix Goncourt. On y découvre, dans le village de Jumainville, une belle galerie de portraits qui vont du résistant le plus pur au collaborateur le plus lâche.

LA VIE LITTÉRAIRE PENDANT LA SECONDE GUERRE MONDIALE

Avec l'occupation allemande, la censure s'installe dans tous les domaines. En littérature, les écrivains se partagent en trois catégories : ceux qui adoptent l'idéologie de l'occupant, collaborent avec lui et produisent essais, articles ou romans approuvés par la censure ; ceux qui refusent l'invasion allemande, prennent le maquis au sens propre ou figuré, et par leurs écrits exaltent l'esprit de résistance ; enfin ceux qui continuent d'écrire en se tenant à distance des événements, en tournant le dos aux réalités, tout en faisant profil bas...

COLLABORATION ET LITTÉRATURE

Parmi les premiers, on trouve Pierre Drieu La Rochelle, un ancien combattant de la Grande Guerre. Né à Paris en 1893, Drieu est un idéaliste que le monde déçoit toujours. Du nationalisme de ses origines au combat contre l'antisémitisme et le fascisme, il peine à assumer ses contradictions et trouve même une sorte

1 | JEAN-PAUL SARTRE
AU THÉÂTRE DE LA CITÉ, le 3 juin 1943, est jouée une pièce de Jean-Paul Sartre, *Les Mouches*, dans une mise en scène de Charles Dullin. Cette pièce, qui prend sa source dans la mythologie antique, est une satire du régime d'oppression mis en place pendant la guerre.

2 | ALBERT CAMUS
ALBERT CAMUS (1913-1960) quitte l'Algérie pour la France en 1940. En 1941, il entre dans la Résistance à l'intérieur du réseau Combat. Il devient rédacteur en chef du journal du même nom. Il publie *L'Étranger* en 1942.

de syncrétisme possible entre le fascisme et le socialisme. Directeur de la NRF (Nouvelle revue française) sous l'Occupation, il décide de collaborer avec l'Allemagne dans un premier temps, espérant sa victoire. À partir de 1943, il déchante, mais ne cherche pas à fuir le sort qui l'attend. Il se suicide le 15 mars 1945. Son œuvre, pour une grande part publiée avant la guerre, révèle un être tourmenté, séducteur, revenu de toutes ses illusions, et qui trouve dans le mensonge ou la lâcheté de ses amis d'utiles raisons de désespérer.
Autre écrivain collaborationniste, Robert Brasillach est né en 1909 à Perpignan. D'abord affligé par la lecture de *Mein Kampf* dont il écrit : « C'est très réellement le chef-d'œuvre du crétinisme excité... », il s'engage du côté de l'occupant et devient le rédacteur en chef du journal collaborationniste *Je suis partout*. Il y laisse paraître son admiration pour le IIIe Reich et sa haine de la République, son antisémitisme exacerbé. En septembre 1944, il se constitue prisonnier ; il est incarcéré à Fresnes. Son procès pour « intelligence avec l'ennemi » s'ouvre le 19 janvier. Condamné à mort, il est exécuté le 6 février au fort de Montrouge.
Antisémite éructant sa haine dans un style à l'oralité féroce, Louis-Ferdinand Céline évite le peloton d'exécution en s'enfuyant à Sigmaringen, puis au Danemark, où il sera incarcéré. Il revient en France en 1951. Il y meurt à Meudon, en 1961.

L'ENGAGEMENT LITTÉRAIRE

Louis Aragon, Paul Éluard, André Malraux, Elsa Triolet, Marguerite Duras, Vercors, fondateur des éditions de Minuit, ou bien encore François Mauriac choisissent de résister par tous les moyens à l'occupant et publient des œuvres engagées. En 1942, Paul Éluard publie son poème *Liberté* dans le recueil *Poésie et Vérité*. Par ailleurs, Jean Anouilh, Jean-Paul Sartre ou Marcel Aymé transmettent discrètement à travers leurs œuvres leur critique personnelle des événements dont ils sont les témoins.

3 | VERCORS
JEAN BRULLER, dit Vercors, signe en février 1942 le premier livre paru aux éditions de Minuit – qu'il crée clandestinement –, *Le Silence de la mer*.

4 | JEAN ANOUILH
ANTIGONE brave un interdit, au risque de mourir pour avoir désobéi à la loi... Jean Anouilh reprend ce thème de Sophocle dans sa pièce, qui est un appel à résister. Elle est jouée au théâtre de l'Atelier en 1944.

5 | RÉSISTANCE LITTÉRAIRE
AVEC ELSA TRIOLET, qui partage sa vie, Louis Aragon met en place l'organe de la résistance littéraire, le Comité national des écrivains pour la zone sud.

4

5

AOÛT

LE MARÉCHAL PÉTAIN DURANT SON PROCÈS
Le procès du maréchal Pétain s'ouvre devant la Haute Cour de justice créée le 18 novembre 1944. Trois semaines plus tard, le 15 août, Pétain est condamné à mort. Ce jugement est commué par le général de Gaulle en détention à perpétuité, ainsi que les jurés en avaient fait le vœu. Pétain, interné au fort de la Citadelle, mourra le 23 juillet 1951, dans une maison privée à Port-Joinville.

OCTOBRE

LE PROCÈS DE PIERRE LAVAL

Du 5 au 15 octobre a lieu le procès de Pierre Laval, ancien chef du gouvernement de Vichy. Ayant fui en août 1944 à Belfort, puis à Sigmaringen, Laval se trouve, en mai de l'année suivante, en Espagne. Il est arrêté à Barcelone. Condamné à mort, il est exécuté le 15 octobre dans l'enceinte de la prison de Fresnes après avoir tenté de s'empoisonner.

ANNÉES 1950 ROBERT SCHUMAN, L'UN DES « PÈRES DE L'EUROPE ».

LA IVe RÉPUBLIQUE

Une moyenne d'un gouvernement tous les six mois : la constitution de la quatrième République favorise le système des partis. C'est pourtant un pouvoir fort et stable qui serait nécessaire pour aborder avec détermination le problème de la décolonisation. L'Indochine va subir la guerre de 1946 à 1954, se terminant par l'héroïque défaite française de Diên Biên Phu. C'est alors que commence en Algérie une guerre d'indépendance particulièrement longue et indécise. En même temps que se déroulent ces affrontements, la paix semble devoir s'installer pour longtemps en Europe avec la création de la CECA, puis de l'Europe des six.

1946

21 JANVIER

DÉMISSION DE DE GAULLE
Le 21 janvier, à la une des journaux, on peut lire que, la veille, le général de Gaulle, chef du Gouvernement provisoire de la République, en désaccord avec le projet de Constitution soutenu par le Parti communiste, a démissionné. Il espère cependant être rappelé... Il va l'être, mais douze ans plus tard.

De Gaulle a choisi de démissionner,

16 JUIN

LE GÉNÉRAL DE GAULLE DANS LES RUES DE BAYEUX
Le 16 juin, le général de Gaulle arrive à Bayeux. Il y fait sa rentrée politique à travers un discours où il exprime sa conception de la future Constitution française. Silencieux depuis sa démission du gouvernement le 20 janvier, les idées qu'il exprime serviront à la rédaction de la Constitution de 1958.

la constitution qu'il juge nécessaire à la France est remise à plus tard.

13 AVRIL

UNE MAISON CLOSE RUE CHABANAIS, À PARIS (PHOTOGRAPHIE DE ROBERT DOISNEAU)

Le 13 avril, la loi élaborée par Marthe Richard (1889-1982), conseillère municipale de Paris, ordonne la fermeture des maisons closes. Marthe Richard avait été prostituée à Nancy puis à Paris, avant de devenir aviatrice – elle passe son brevet le 23 juin 1913 – puis femme politique. Son rôle d'espionne durant la Grande Guerre est une légende.

1946

LE DOCTEUR ET ASSASSIN MARCEL PETIOT
Ancien maire de Villeneuve-sur-Yonne, le docteur Petiot s'installe à Paris en 1933. Pendant l'Occupation, il propose à des Juifs de les aider à passer en zone sud puis en Amérique. Mais il les assassine et brûle leurs corps dans sa cave. Il est arrêté le 31 octobre 1944. À l'issue de son procès, il est condamné à mort pour 27 assassinats et guillotiné le 25 mai 1946, à la prison de la Santé.

LE PROCÈS DU DOCTEUR PETIOT
On aperçoit, dans le box des accusés, Marcel Petiot, qui va être condamné à mort pour les 27 assassinats qu'il a commis. Il en revendique 63 ! Devant lui, portant des lunettes, on remarque son avocat, maître Floriot. À la gauche de Petiot sont entreposées les valises des victimes, avec leurs affaires personnelles, qu'il conservait.

1946

5 JUILLET

MICHELINE BERNARDINI, PLUS JOLIE BAIGNEUSE DE L'ANNÉE

Le 5 juillet, Micheline Bernardini, qui vient de remporter le prix de la plus jolie baigneuse 1946 à la piscine Molitor, porte le premier bikini, que vient de créer le couturier Louis Réard. La petite boîte qu'elle tient dans sa main gauche permet de ranger les deux pièces de tissu.

1946

LANCEMENT DE LA 4CV RENAULT
« 4 chevaux, 4 portes, 444 000 francs » (33 000 euros !), tel est le slogan publicitaire qui lance en 1946, lors du 33e Salon automobile à Paris, la 4CV Renault. Trois vitesses, une vitesse maximale de 90 km/h, une consommation de 3 l au cent, quatre places. Il en sera fabriqué plus de 1 million d'exemplaires jusqu'en 1961.

1946

DÉCEMBRE

DES MILITANTS NATIONALISTES EN INDOCHINE
Les incidents se multiplient en Indochine contre le gouvernement français. Le 19 novembre, une fusillade entre des nationalistes vietnamiens à bord d'une jonque chinoise et des soldats français fait 24 morts. Parmi eux, un commandant français. À Hanoi, les militants nationalistes et les antifrançais manifestent pour obtenir leur indépendance.

DÉCEMBRE

LES TROUPES FRANÇAISES AU TONKIN
Les négociations entre le gouvernement français et Ho Chi Minh ont été interrompues par l'incident de la jonque chinoise du 19 novembre. Les hostilités commencent le 23 novembre avec le bombardement du port de Haiphong, qui vont causer la mort de 6 000 personnes. On voit ici les troupes françaises en action au Tonkin.

21 NOVEMBRE

LES AMÉRICAINS APPORTENT AIDE ET SOUTIEN À L'EUROPE
Le 21 novembre, le Train de l'Amitié traverse le fleuve Hudson sur un cargo. Ce train est chargé de nourriture donnée par les citoyens américains pour l'Europe. Il représente les prémices de l'aide économique qui sera mise en place par le plan Marshall.

1948

26 FÉVRIER

RÉOUVERTURE DU SALON DES ARTS MÉNAGERS
Interrompu pendant la guerre, le Salon des arts ménagers ouvre de nouveau ses portes le 26 février, dans un contexte de pénurie généralisée. Si de séduisantes nouveautés y sont présentées, tel l'autocuiseur Cocotte-Minute, il faut patienter des mois pour en obtenir la livraison.

1948

LE BARRAGE DE GÉNISSIAT

Le barrage de Génissiat a été programmé en 1933, commencé en 1937, poursuivi en 1939, noyé en 1940, et finalement terminé après la guerre, en 1948. C'est alors le barrage le plus puissant d'Europe, avec ses 104 m de hauteur, ses 140 m de longueur, sa retenue de 23 km et ses 53 millions de m³.

19 JUILLET

LE JAZZ SE POPULARISE À SAINT-GERMAIN-DES-PRÉS

Au cours des folles nuits de Saint-Germain-des-Prés, on reçoit d'illustres invités. Ainsi Duke Ellington, pianiste de jazz, qui est ici félicité par, de gauche à droite, Boris Vian, Juliette Gréco et Anne-Marie Cazalis, à l'occasion d'un gala organisé en son honneur le 19 juillet. On aperçoit derrière eux le pianiste Jacques Deval.

1948

7 OCTOBRE

PRÉSENTATION DE LA 2CV CITROËN

Le 7 octobre, au Salon de l'automobile, la 2CV Citroën est présentée : automobile populaire, pratique, elle peut transporter deux cultivateurs en sabots, 50 kg de pommes de terre ou un tonnelet à une vitesse de 50 km/h pour une consommation de 5 l au 100. Son prix : le tiers de la Traction avant 11CV. Le point de vue esthétique n'a aucune importance. Ce dernier point est particulièrement bien respecté.

7 OCTOBRE

LES CURIEUX SE PRESSENT AUTOUR DE LA 2CV CITROËN

La foule se presse autour de la 2CV Citroën lors du 50e Salon de l'automobile. Le public, amusé par cette voiture à la fois spartiate et généreusement utilitaire, à l'esthétique métallique, demande si l'ouvre-boîte est livré avec... Plus de 5 millions d'exemplaires de cette bicylindre sont produits jusqu'en 1990.

1948

24 OCTOBRE

CRS DEVANT LA MINE DE CARMAUX
Le ministre de l'Industrie décide de restreindre le statut du mineur en réduisant son salaire, ses allocations et ses indemnisations. Des grèves éclatent alors. Le 7 octobre, les CRS occupent les cokeries et les mines. Le 11, le gouvernement, qui redoute une guerre civile, rappelle les réservistes. On voit ici des CRS devant la mine de Carmaux, le 24 octobre.

Alors que l'État décide de restreindre le statut des mineurs,

OCTOBRE

GRÉVISTES À LA MINE DE LA BÉRAUDIÈRE
Le 9 octobre, Henri Queuille, le président du Conseil, dénonce le caractère insurrectionnel de la grève. La troupe occupe les puits sur ordre du gouvernement, des scènes de guerre civile ont lieu à Saint-Étienne, à Montceau-les-Mines. On voit ici des mineurs grévistes occupant la mine de la Bérandière, dans la Loire. Le travail reprend le 2 novembre.

ceux-ci s'engagent dans de violentes grèves.

20 MAI

TRANSFERT DES CENDRES DE VICTOR SCHŒLCHER AU PANTHÉON

Né à Paris en 1804, Victor Schœlcher est révolté par l'esclavage lors d'un séjour à Cuba. Il n'aura de cesse qu'il soit aboli dans les colonies. C'est chose faite en 1848. Ses cendres furent transférées au Panthéon le 20 mai, en même temps que celles de Félix Éboué, Guyanais, qui fut administrateur de l'Afrique-Équatoriale française – premier Noir à entrer au Panthéon.

1949

AOÛT

INCENDIE TRAGIQUE DANS LES LANDES

Le 19 août, un incendie se déclare dans les Landes. Attisé par des vents violents, il va se poursuivre pendant une dizaine de jours. Le 20 août, sur la piste forestière du Puch, 82 personnes, qui luttent contre l'incendie, meurent dans les flammes. Le 24 août sera une journée de deuil national en mémoire des 221 personnes qui ont péri dans les incendies des Landes.

1950

16 MAI

***LA CANTATRICE CHAUVE* MISE EN SCÈNE POUR LA PREMIÈRE FOIS**

Le 16 mai, l'antipièce écrite par Eugène Ionesco, *La Cantatrice chauve,* est jouée pour la première fois au théâtre des Noctambules à Paris, dans une mise en scène de Nicolas Bataille. Le succès est mitigé. Reprise en 1957, au théâtre de la Huchette – et toujours jouée aujourd'hui, depuis cinquante-cinq ans –, elle fait un triomphe. Ionesco devient le chef de file du théâtre de l'absurde.

Cette année-là aussi... Le 24 février a lieu la première retransmission télévisée en direct par la RTF. La pièce *Le Jeu de l'amour et du hasard*, de Marivaux, téléfilmée depuis la Comédie-Française, à l'initiative de Claude Barma, est diffusée sur l'unique chaîne de télévision française. À cette époque, on compte seulement 3 794 postes de télévision dans tout le pays.

1950

3 NOVEMBRE

CRASH D'UN AVION DE LA COMPAGNIE AIR INDIA DANS LES ALPES DU NORD

Le 3 novembre, un avion Constellation d'Air India, assurant la liaison Bombay-Londres, heurte un sommet dans les Alpes du Nord. Il n'y a aucun survivant parmi les membres d'équipage et les 40 passagers. Deux jours plus tard, des débris de l'avion sont repérés. Une caravane de secours part vers l'épave, mais son guide, René Payot, meurt en chutant dans une crevasse.

8 NOVEMBRE

DES SAUVETEURS ATTEIGNENT ENFIN L'ÉPAVE DU *MALABAR PRINCESS*

Le 8 novembre, après l'échec de plusieurs tentatives pour s'approcher de l'épave du *Malabar Princess* qui s'est écrasé sur le Mont-Blanc, une nouvelle caravane de secours se met en marche. À 10 h 10, après une ascension très difficile, elle atteint le lieu de la catastrophe. Voici les sauveteurs à leur retour : Margueron, Pignier, Jacquet, Viallet et Chappelon.

1951

18 AVRIL

CRÉATION DE LA CECA
Sur une idée de Jean Monnet, le ministre des Affaires étrangères, Robert Schuman, propose la mise en commun des ressources en charbon et en acier de la France et de l'Allemagne. Le 18 avril, la CECA – la Communauté européenne du charbon et de l'acier – voit le jour. Le traité l'instituant entrera en vigueur le 25 juillet 1952. La CECA comprend la France, l'Allemagne, l'Italie, la Belgique, les Pays-Bas et le Luxembourg – ces trois derniers pays formant le Benelux.

1951

JUILLET

L'ACTEUR GÉRARD PHILIPE
En juillet, au Festival d'Avignon, Gérard Philipe, qui a joué des rôles de jeune premier au cinéma, vient d'entrer à vingt-neuf ans au Théâtre national populaire de Jean Vilar. Il joue le prince de Hombourg de Kleist, et Rodrigue dans *Le Cid* de Corneille.

1952

LA *CALYPSO* DE JACQUES-YVES COUSTEAU
Né en 1910, Jacques-Yves Cousteau quitte la Marine en 1949. Il se passionne pour l'univers sous-marin, qu'il veut faire découvrir au plus grand nombre. Il est à l'origine des premières fouilles archéologiques sous-marines modernes et scientifiques réalisées grâce à la *Calypso,* son célèbre navire océanographique, que voici prêt à appareiller.

1952

6 MARS

ANTOINE PINAY ÉLU PRÉSIDENT DU CONSEIL
Antoine Pinay est élu président du Conseil le 6 mars. Né dans une famille d'industriels de la chapellerie, membre du Conseil national de Vichy, mais ayant fourni des faux papiers à des résistants recherchés, il va s'efforcer d'équilibrer le budget de la France en misant sur « l'esprit d'économie ». Le voici au centre, entouré des secrétaires d'État Charles Brune et Félix Gaillard.

Antoine Pinay parvient à redresser le budget de la France

grâce à un emprunt gagé sur l'or.

26 MAI

SUCCÈS DE L'EMPRUNT PINAY
Le 26 mai, l'emprunt Pinay est lancé. Son intérêt est fixé à 3,5 %. Il est gagé sur l'or. Son succès est considérable : à sa clôture, le 17 juillet suivant, il a rapporté 428 milliards de francs.

1952

14 OCTOBRE

LA CITÉ RADIEUSE À MARSEILLE

Le 14 octobre, Eugène-Claudius Petit, ministre de la Reconstruction, inaugure à Marseille la « Cité radieuse », que les Marseillais appellent « La Maison du fada ». Elle comprend 337 appartements en duplex, des restaurants, une librairie, des « rues intérieures ». Son concepteur, Charles Édouard Jeanneret-Gris, né en 1887, est plus connu sous le pseudonyme de Le Corbusier.

1952

25 OCTOBRE

INAUGURATION DU BARRAGE HYDROÉLECTRIQUE DE DONZÈRE-MONDRAGON

Commencé en 1947, le barrage hydroélectrique de Donzère-Mondragon, dans la Drôme, est inauguré par le président de la République Vincent Auriol le 25 octobre. Construit sur le canal du même nom, il sert aussi d'écluse.

1953

29 JUILLET

RÉVOLTE DES VITICULTEURS

Les gouvernements se succèdent, mais aucun ne parvient à maîtriser une situation économique qui engendre la baisse des prix, notamment dans la viticulture. Le 29 juillet, afin de protester contre la crise engendrée par cette baisse, les viticulteurs de l'Hérault ont barré un pont de Béziers.

Cette année-là aussi… Le 14 mai est créé l'hebdomadaire *L'Express*, par Françoise Giroud et Jean-Jacques Servan-Schreiber.

1954

16 JANVIER

ÉLECTION DE RENÉ COTY
Le 16 janvier a lieu la passation des pouvoirs entre Vincent Auriol et le nouveau président de la République, René Coty. Celui-ci a été élu au terme de la réunion du Congrès à Versailles, entre le 17 et le 23 décembre de l'année précédente, après treize tours de scrutin.

1954

1ER FÉVRIER

LA NUIT DU 1ER AU 2 FÉVRIER

Un froid particulièrement intense règne pendant l'hiver 1954. L'abbé Pierre lance alors, le 1er février, un appel à la solidarité avec les sans-abri, sur les ondes de Radio Luxembourg : « Mes amis, au secours... Une femme vient de mourir gelée, cette nuit à trois heures, sur le trottoir du boulevard Sébastopol, serrant sur elle le papier par lequel, avant-hier, on l'avait expulsée... »

1954

SANS-ABRI ACCUEILLIS DANS LE MÉTRO
Pendant que l'abbé Pierre lance son appel à la solidarité, la station de métro Saint-Martin est ouverte aux sans-abri. Grâce aux dons reçus, l'Abbé Pierre, ancien résistant et député, fondateur en 1949 du mouvement Emmaüs, peut créer, le 17 mars, grâce aux dons reçus, l'association du même nom afin de lutter contre la pauvreté et l'exclusion.

déclenche la mise en place de mesures d'urgence.

1954 L'ABBÉ PIERRE APPELLE À COMBATTRE L'INDIFFÉRENCE.

1954

7 MAI

BATAILLE DE DIÊN BIÊN PHU
Installé le 20 novembre 1953 au nord-ouest du Viêt Nam afin d'épuiser les forces du Viêt-minh, le camp retranché de Diên Biên Phu est encerclé dès le 2 février. Les forces françaises sont submergées par un ennemi supérieur en nombre, et, après d'âpres combats, le camp se rend le 7 mai. Aux milliers de victimes de ce combat inégal s'ajoutent les milliers de prisonniers morts dans les camps de rééducation du Viêt-minh.

Les troupes françaises tentent de combattre les forces

1954

7 MAI

REDDITION DES TROUPES FRANÇAISES

Le 7 mai, les troupes du Viêt-minh empruntent le pont Muong Thanh, passage stratégique vers le camp de Diên Biên Phu. La reddition des troupes françaises intervient peu après. Cette bataille permet d'accélérer les négociations entre la France et le Viêt-minh. Elle ouvre la voie à d'autres revendications décolonisatrices.

du Viêt-minh, mais leur capitulation est imminente.

L'INDÉPENDANCE DE L'ALGÉRIE

Le 1er novembre 1954, des Algériens créent un Front de libération nationale – le FLN – et réclament l'indépendance de leur pays en effectuant une série d'attentats.
Le gouvernement de Pierre Mendès France – François Mitterrand étant ministre de l'Intérieur – prend des mesures de sécurité et propose des réformes. Mais, entre le 20 et le 31 août 1955, le FLN de la région du nord de Constantine attaque une trentaine de centres européens. Il y a 123 morts, dont 71 Européens. La terrible répression qui succède à ces actions crée la rupture entre les Européens et les Algériens. De janvier à juillet 1956, le nombre de soldats du contingent en Algérie passe de 200 000 à 400 000. Le 31 juillet 1957, la France reconnaît la République tunisienne. Le 6 novembre, Félix Gaillard est élu président du Conseil et tente d'apaiser les partisans de l'Algérie française.

LE PUTSCH D'ALGER

Le 8 février 1958, le village de Sakihet Sidi Youssef, en Tunisie, est bombardé par l'aviation française, en représailles aux raids du FLN. Le 13 mai, une manifestation d'étudiants menée par Pierre Lagaillarde se termine par l'occupation du Gouvernement général à Alger, où un Comité de salut public est créé, présidé par le général Massu. C'est le putsch d'Alger. Le soir même, le général Salan déclare qu'il prend en main les destinées de l'Algérie

1 | 1954
APRÈS L'ATTAQUE des centres européens, un groupe de prisonniers algériens est gardé par des soldats français.

2 | 1962
QUELQUES MOIS AVANT LA SIGNATURE DES ACCORDS D'ÉVIAN, la délégation du FLN se prépare à quitter la villa du Bois d'Avault afin de participer aux premières négociations. Krim Belkacem, à la fois vice-président et ministre des Affaires étrangères du Groupement provisoire des affaires algériennes (GPRA), est le troisième à partir de la droite.

1

2

française. Le 16 septembre 1959, le général de Gaulle, rappelé aux affaires et devenu, le 21 décembre 1958, le premier président de la Ve République, propose l'autodétermination aux Algériens, c'est-à-dire le droit de décider de leur avenir. Les Européens manifestent leur opposition. Du 24 janvier au 1er février, à Alger, c'est la semaine des barricades : Pierre Lagaillarde – élu député d'Alger-ville en 1958 – tente un coup de force pour gagner l'armée à sa cause. Mais de Gaulle maintient son projet. Bénéficiant d'une libération provisoire après avoir été emprisonné à la prison de la Santé, Pierre Lagaillarde s'enfuit en Espagne, où il rejoint Salan avec qui il fonde l'OAS (Organisation armée secrète). Le référendum a lieu le 8 janvier 1961. Le oui à l'indépendance l'emporte avec 75 % des suffrages.

UN QUARTERON DE GÉNÉRAUX

Challe, Zeller, Jouhaud, Salan – un quarteron de généraux en retraite, selon de Gaulle – tentent, le 22 avril 1961, de prendre le pouvoir à Alger. Le putsch échoue. L'OAS se montre de plus en plus active, en Algérie et en France. Le 8 février 1962, une manifestation communiste est organisée contre cette organisation terroriste : elle est réprimée avec violence par la police au métro Charonne. Le bilan est lourd : 200 blessés et 8 morts, aux obsèques desquels assistent 500 000 personnes.

L'ARRIVÉE DES EUROPÉENS ET DES HARKIS

Le 18 mars 1962, les accords d'Évian sont signés : l'Algérie devient indépendante. Le lendemain, 19 mars, le cessez-le-feu est proclamé en Algérie à midi. L'OAS n'accepte pas la signature des accords. Le 26 mars, lors d'une manifestation qu'elle organise rue d'Isly, à Alger, des tirailleurs ouvrent le feu. La fusillade fait 80 victimes. Aucun retour en arrière n'est possible : 1 million d'Européens, préférant la valise au cercueil, gagnent la France, ainsi que 100 000 harkis – Algériens au service de la France – dont le rapatriement était interdit par le gouvernement.

3 | 1962
LE 8 FÉVRIER, une manifestation communiste contre l'OAS est chargée par la police au métro Charonne ; 8 personnes y laissent la vie. Cinq jours après, leurs obsèques rassemblent des centaines de milliers de personnes.

4 | 1962
LES RAPATRIÉS quittent l'Algérie dans des circonstances douloureuses. Ils s'entassent sur le pont des bateaux qui les ramènent en France, où l'accueil est parfois hostile.

5 | L'ALGÉRIE INDÉPENDANTE
LE 3 JUILLET 1962, l'Algérie devient un État indépendant, le centre d'Alger est envahi par la foule.

3

4

5

1954

28 NOVEMBRE

PROCÈS DE GASTON DOMINICI

Le 28 novembre, à Digne, Gaston Dominici écoute, impassible, le verdict du juge : condamné à mort, il est accusé du triple crime d'une famille de touristes anglais commis en 1952. Mais le doute subsistant sur sa culpabilité, sa peine est commuée en prison à perpétuité en 1957 par le président Coty. En 1960, le général de Gaulle gracie Gaston Dominici, qui est libéré.

Cette année-là aussi... La société Standard-Hotchkiss construit à Saint-Denis les premiers « Petits Gris », tracteurs Massey Ferguson de 30CV qui vont se répandre dans les campagnes de France et reléguer peu à peu les chevaux au rayon des souvenirs. **...** Le 22 janvier est organisé le premier tiercé hippique inventé par André Carrus (1898-1980). Le pari est organisé dans la cinquième course, le prix d'Uranie.

1955

11 JUIN

ACCIDENT DRAMATIQUE AUX VINGT-QUATRE HEURES DU MANS

Le 11 juin, aux Vingt-Quatre Heures du Mans, la Mercedes de Pierre Levegh accroche la voiture qui le précède, décolle, s'écrase sur un talus, puis rebondit, tuant son pilote avant d'exploser, projetant sur la foule son train avant, son moteur et ses éléments de carrosserie éclatée, ce qui provoque la mort de 82 personnes.

1955

LANCEMENT DE LA DS 19
Les visiteurs du 42ᵉ Salon de l'automobile découvrent, entre autres, la 403 Peugeot, la Simca Aronde Océane, et surtout la Citroën DS 19, aux lignes d'une surprenante finesse. Sa suspension hydropneumatique constitue une grande nouveauté et devient le gage d'un confort inégalé. Plus de 1 300 000 exemplaires de cette voiture seront construits jusqu'en 1975.

Cette année-là aussi... Le 27 mai a lieu le premier vol de l'avion Caravelle, à Toulouse. **...** La France est organisée en vingt et une régions. **...** Le 1ᵉʳ janvier, la station de radio Europe 1 voir le jour.

1956

2 JANVIER

PIERRE POUJADE, HOMME POLITIQUE ET LEADER SYNDICAL

Le 2 janvier, aux élections législatives, les partisans de Pierre Poujade, défenseur des commerçants qui dénonce « l'État vampire », obtiennent 12,5 % des suffrages, ce qui leur donne 52 sièges. Les communistes en obtiennent 50. L'opposition poujadiste et l'opposition communiste rassemblent près de 40 % des suffrages exprimés et totalisent le tiers des élus.

CRÉATION DE LA DÉFENSE DES COMMERÇANTS

Pierre Poujade (ici au centre, avec à sa gauche Jean-Marie Le Pen) fonde un mouvement d'extrême droite en 1953, la Défense des commerçants, qui organise le boycott des taxes. La participation de Jean-Marie Le Pen à cette confédération des commerçants lui permet d'acquérir, à vingt-sept ans, son siège de plus jeune député de France.

1956

FÉVRIER

VAGUE DE FROID EXCEPTIONNELLE

Du 1er au 28 février, une vague de froid exceptionnelle s'abat sur la France. Les températures descendent sous les – 20 °C dans une grande partie du pays. De gros dégâts se produisent dans les cultures. La Seine est gelée sur près de 7 km près du pont de Ponthierry, en Seine-et-Marne.

Cette année-là aussi... La troisième semaine de congés payés est accordée aux salariés. **...** Le 25 janvier, la première Dauphine sort des chaînes de montage des usines Renault.

1956

8 MARS

OPÉRATION BIGEARD
Le 21 février ont lieu les premières manœuvres héliportées pendant la guerre d'Algérie, sous le commandement du colonel Bigeard. Le 8 mars, Bigeard utilise ses hélicoptères, qui lâchent 150 parachutistes sur une compagnie de tirailleurs algériens qui ont déserté en égorgeant les cadres européens.

SOLDATS FRANÇAIS EN ALGÉRIE
En Algérie, les soldats affrontent la guérilla au quotidien. Ici, des éléments du 110e régiment d'infanterie de Marine prennent position dans le secteur de Tlemcen-Mamia, situé au nord-ouest du pays.

1956

29 NOVEMBRE

PÉNURIE D'ESSENCE
Le 29 novembre, les bons de rationnement de l'essence apparaissent. La pénurie est telle, à cause de la guerre d'Algérie et de la nationalisation du canal de Suez par l'Égypte, qu'il est interdit de circuler en véhicule à essence hors de son département et dans les départements limitrophes.

Cette année-là aussi... Le 28 février a lieu l'exécution d'Émile Buisson, « ennemi public n° 1 ». Né le 19 août 1902 à Paray-le-Monial, on lui reproche 20 meurtres et une centaine de hold-up au cours de sa carrière. Il avait été arrêté par l'inspecteur Roger Borniche. ... Le 4 août, le gouvernement crée une taxe sur les automobiles, la vignette, afin de financer les retraites.

25 MARS

SIGNATURE DE TRAITÉS EUROPÉENS SUR L'ÉCONOMIE ET L'ÉNERGIE ATOMIQUE

Le 25 mars, à Rome, les ministres des Affaires étrangères de Belgique, de République fédérale d'Allemagne, de France, d'Italie, du Luxembourg et des Pays-Bas signent les traités sur l'Euratom et le Marché économique européen. On voit ici Christian Pineau et Maurice Faure, qui représentent la France. À leur gauche, Konrad Adenauer, chancelier de RFA.

ARTS ET LETTRES EN IVE RÉPUBLIQUE

Après la guerre, la littérature s'enrichit de styles nouveaux. En 1946, Vernon Sullivan publie *J'irai cracher sur vos tombes,* un roman « américain » au titre provocateur dont les personnages sont le racisme, la violence et une sexualité brutale. On apprend bientôt que Vernon Sullivan est le pseudonyme d'un personnage étonnant, Boris Vian, qui sait presque tout faire : il est ingénieur, joueur de trompinette, parolier, chanteur, poète, chroniqueur de jazz et, surtout, romancier unique en son genre, inimitable, surprenant. « Je mourrai avant quarante ans », disait-il. Il décède à trente-neuf ans, le 23 juin 1959, pendant la projection du film *J'irai cracher sur vos tombes.*

NAISSANCE DE FOLCOCHE

En 1948, Jean-Pierre Hervé-Bazin, dit Hervé Bazin, publie un roman où se déploie sa verve féroce contre le milieu bourgeois auquel il appartient sans y avoir trouvé sa place, et surtout contre sa mère, surnommée Folcoche, personnage odieux qui prend plaisir à faire souffrir ses enfants. Autobiographie ? Sans doute fidèle par certains aspects, sûrement outrée, mais auréolée d'un succès qui a été

1 | BONJOUR SAGAN

EN 1954, une jeune fille de dix-huit ans, Françoise Sagan, publie un roman qui obtient un succès phénoménal, *Bonjour tristesse,* où l'amour et la haine font bon ménage. Célèbre du jour au lendemain, Sagan incarne avec une élégante désinvolture la femme libre.

2 | FERNANDEL EN CINÉ-CURE

LE 4 JUILLET 1952, les Français découvrent dans les salles obscures un curé de village, Don Camillo, joué par Fernandel, qui va les distraire pendant plus de dix ans avec ses pitreries irritées contre Pepone, le maire communiste d'un village italien.

1

2

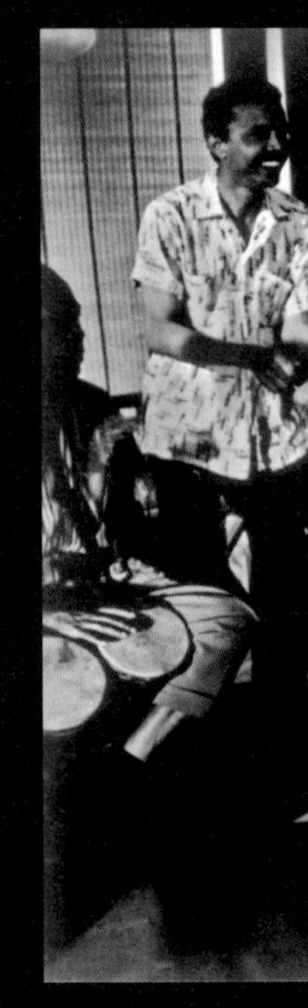

prolongé par un téléfilm en 1971, avec Alice Sapritch en Folcoche, et un film, en 2004, avec Catherine Frot en mère indigne.

MORT DE LA FEMME SOUMISE

« On ne naît pas femme, on le devient. » Parodiant Érasme qui écrivait « On ne naît pas homme, on le devient », Simone de Beauvoir illustre pour le sexe auquel elle appartient la philosophie de son compagnon Jean-Paul Sartre, appliquant l'idée qu'une essence de la femme soumise et moins intelligente que l'homme n'existe pas. La femme n'est pas une esclave – c'est le thème de son essai : *Le Deuxième Sexe,* publié en 1949.

Côté prix Nobel, la France est deux fois distinguée en 1952 : François Mauriac en littérature et Albert Schweitzer. Celui-ci, prix Nobel de la paix, est récompensé pour ce qu'il a accompli en faveur des malades en Afrique, créant notamment à Lambaréné, au Gabon, un hôpital destiné à connaître les principales causes de la mortalité dans la population, et à les soigner. Prix Nobel encore : Albert Camus en littérature. Le prix lui est remis le 17 octobre 1957.

GODOT NE VIENDRA PAS

Le 5 janvier 1953 a lieu la première de la pièce de Samuel Beckett, dramaturge irlandais d'expression française et anglaise, *En attendant Godot*. Elle s'inscrit dans le registre du théâtre de l'absurde. Le public, qui n'en est ni informé ni grand amateur, s'insurge en sortant de la salle dès le premier acte, ou en huant les acteurs. Depuis, le calme est revenu…

LES PASSIONS DE MONSIEUR TATI

Sur les écrans apparaît en 1949 un personnage désuet – François, puis monsieur Hulot en 1953 – coiffé d'un chapeau, la pipe à la bouche, toujours à proximité d'un grand vélo, et qui voit apparaître la modernité avec une naïveté désopilante : Jacques Tatischeff, dit Jacques Tati, joue ce personnage unique dans l'histoire d'un cinéma qui s'affranchit des lourdeurs démonstratives d'avant-guerre.

3 | NAISSANCE D'UN SEX-SYMBOL

EN 1956, Brigitte Bardot entre vivante dans la légende du cinéma : elle interprète Juliette, une jeune fille naïve au charme fou dans le film de Roger Vadim *Et Dieu créa la femme.*

4 | ROMAIN GARY

EN 1956, Romain Gary reçoit le prix Goncourt pour son roman *Les Racines du ciel.*

5 | GRACQ DIT NON

LE 3 DÉCEMBRE 1951, le prix Goncourt est attribué à Julien Gracq pour son roman *Le Rivage des Syrtes.* Coup de tonnerre : Julien Gracq refuse le prix. Cela n'étonne guère ceux qui avaient lu *La Littérature à l'estomac*

3

4

5

AVRIL 1963 DE GAULLE EN VISITE À REIMS.

LES ANNÉES DE GAULLE

Le retour au pouvoir du général de Gaulle va être marqué par la guerre d'Algérie, qui se poursuit et qui va trouver son épilogue dans l'indépendance du peuple algérien après la signature des accords d'Évian en 1962. Soucieux de l'indépendance et de la grandeur de la France, le président de Gaulle n'hésite pas à faire des choix audacieux qui en témoignent, dussent les États-Unis s'en irriter. Le rapprochement avec l'Allemagne s'accentue, l'OTAN s'éloigne. Les nouvelles technologies prennent leur essor, les Français s'habituent à consommer de plus en plus dans un confort domestique qui ne cesse de progresser.

1958

YVES SAINT LAURENT À LA DIRECTION ARTISTIQUE DE DIOR
En janvier, le couturier Yves Saint Laurent né en 1936, à Oran, d'abord assistant puis directeur artistique chez Dior, prépare sa collection « trapèze » qui obtiendra un immense succès. Quelques mois plus tard, il va populariser le « blouson noir » et le look « beatnik » qui annonce la révolte contre la société de consommation.

À une période où la mode féminine est en plein essor,

1958

MARS

LA LIGNE TRAPÈZE

Le 1er mars 1958, à la une de *Paris Match,* le grand couturier Yves Saint Laurent, vingt-et-un ans et quelques mois, pose avec deux mannequins qui vont présenter la ligne « trapèze » – coupe partant des épaules et du buste, et s'évasant progressivement – lors du défilé de la collection de printemps.

Yves Saint Laurent arrive à la direction de la pretigieuse maison Dior.

1958

4 JUIN

« JE VOUS AI COMPRIS »
Le 4 juin, la foule est rassemblée sur le forum d'Alger afin d'assister au discours du général de Gaulle. Son célèbre « Je vous ai compris » soulève un enthousiasme modéré d'abord, chacun se demandant ce qu'il faut entendre sous cette formule, et à qui elle s'adresse. Mais le discours s'oriente vers l'idée de fraternisation, et de Gaulle termine son intervention sous de généreuses acclamations.

Des milliers de personnes se sont déplacées pour écouter

1958

4 JUIN

FOULE AMASSÉE AU FORUM D'ALGER

le 4 juin, la foule est dense sur le forum d'Alger, et les banderoles favorables à de Gaulle sont nombreuses. Deux jours plus tard, à Mostaganem, il proclame : « La France doit considérer qu'elle n'a, d'un bout à l'autre de l'Algérie, dans toutes les catégories, dans toutes les communautés qui peuplent cette Terre, qu'une seule espèce d'enfants. Vive l'Algérie française ! Vive la République ! Vive la France ! »

1958

29 JUIN

LA FRANCE, TROISIÈME DE LA COUPE DU MONDE DE FOOTBALL

La sixième édition de la Coupe du monde de football se déroule en Suède. La France y décroche une troisième place face à la République fédérale allemande. C'est l'occasion pour le joueur Just Fontaine d'écrire une nouvelle page dans la légende de la Coupe du monde avec 13 buts marqués à lui seul dans cette compétition.

Cette année-là aussi... Le 16 avril, le « Jeu des 100 000 francs par jour » est créé par Henri Cubnick sur la station de radio nationale Paris-Inter, présenté par Roger Lanzac. Il deviendra le Jeu des mille francs.

SEPTEMBRE

FONDATION DE LA V^E^ RÉPUBLIQUE

Charles de Gaulle fait préparer par l'un de ses fidèles, Michel Debré, ministre de la Justice, une nouvelle Constitution, qui est présentée publiquement le 4 septembre 1958, place de la République. Soumise aux Français par référendum le 28 septembre, elle est massivement approuvée – 79, 26 % de oui. La Ve République vient de voir le jour.

Cette année-là aussi... Le 31 décembre est créée l'Assedic (Association pour l'emploi dans l'industrie et le commerce). **...** La télévision équipe un peu moins de 10 % des foyers, mais les Français disposent de 10,5 millions de récepteurs radio.

1959

8 JANVIER

DE GAULLE REÇOIT LA LÉGION D'HONNEUR LORS DE SON INVESTITURE
Le 8 janvier, dans une salle du palais de l'Élysée, le général Catroux décore le nouveau président de la République Charles de Gaulle de la grand-croix de la Légion d'honneur. Après avoir obtenu l'approbation de la Constitution de la Ve République par référendum en septembre 1958, le Général organise les élections présidentielles et est élu le 21 décembre 1958.

10 JANVIER

GOUVERNEMENT DEBRÉ
Le 9 janvier, le garde des Sceaux, Michel Debré, est nommé Premier ministre. Le 10, il présente son gouvernement au général de Gaulle. On y reconnaît, entre autres, Antoine Pinay (ministre des Finances), Maurice Couve de Murville (ministre des Affaires étrangères), Jacques Soustelle (délégué auprès du Premier ministre) et Edmond Michelet (ministre de la Justice).

21 OCTOBRE

ANDRÉ MALRAUX, MINISTRE DE LA CULTURE
Le 21 octobre, une soirée de gala est organisée pour la nouvelle saison du Théâtre de l'Odéon, en présence du général de Gaulle et du ministre des Affaires culturelles André Malraux, qu'on voit ici montant l'escalier d'honneur. Jean-Louis Barrault, chargé de la programmation, a monté *Tête d'or* de Claudel, avec Alain Cuny dans le rôle de Simon Agnel.

1959

2 DÉCEMBRE

EFFONDREMENT DU BARRAGE DE MALPASSET
Le 2 décembre, après des pluies diluviennes sur la Côte d'Azur, le barrage de Malpasset, qui retient les eaux d'un torrent, le Reyran, sur les hauteurs de Fréjus, se fissure et cède. Une vague de 40 m de hauteur détruit tout sur son passage et provoque la mort de 423 personnes.

Des pluies torrentielles provoquent la rupture du barrage de Malpasset,

1959

2 DÉCEMBRE

LA VILLE DE FRÉJUS DÉTRUITE PAR LES EAUX
Des fermes et des villages entiers ont été détruits par la rupture du barrage de Malpasset. Des blocs de pierre de plusieurs centaines de tonnes charriés par la vague monstrueuse ont tout écrasé, brisé sur leur passage. Élevé sur une roche d'appui aux failles géologiques cachées, le barrage n'a jamais été reconstruit.

Cette année-là aussi... Le 9 janvier a lieu la première de l'émission de télévision « Cinq colonnes à la Une », magazine de télévision de Pierre Lazareff, Pierre Dumayet, Pierre Desgraupes et Igor Barrère. **...** Le 29 octobre, le personnage d'Astérix fait son apparition dans le premier numéro du journal *Pilote*.

une immense vague détruit tout sur son passage.

1960

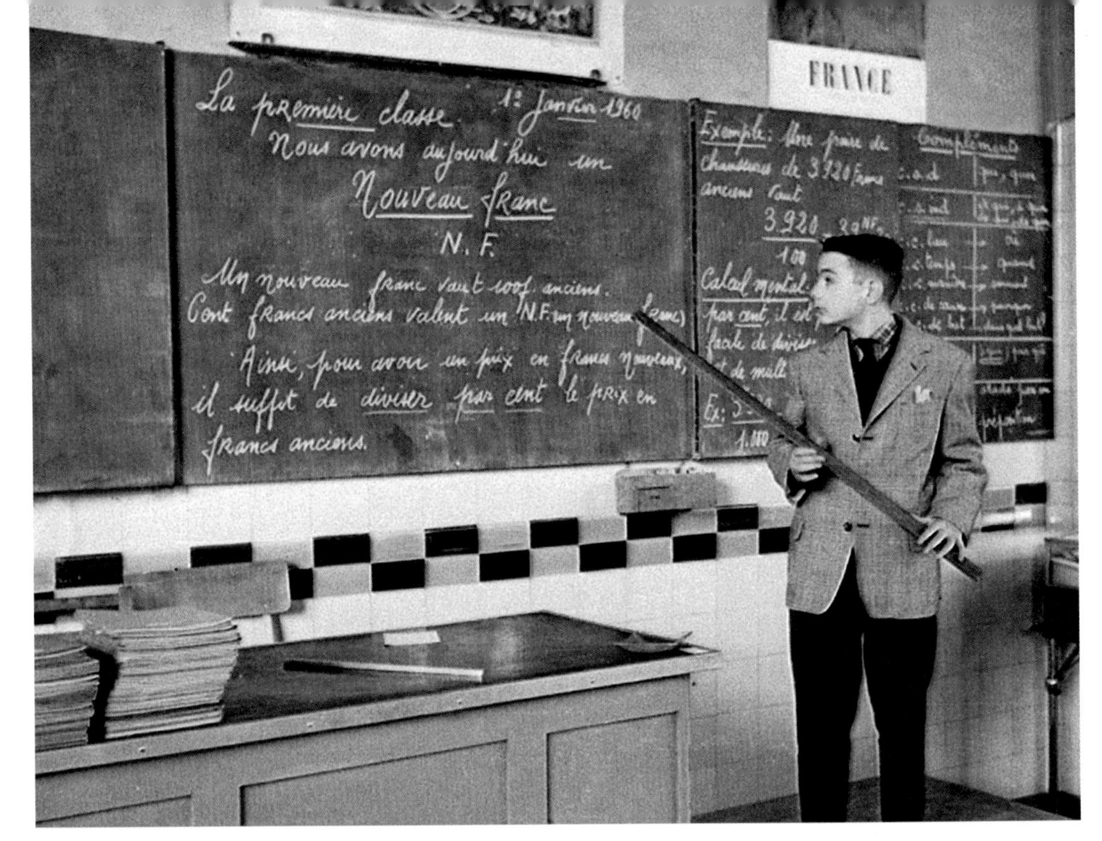

JANVIER

MISE EN CIRCULATION DU NOUVEAU FRANC
Le 1er janvier, le nouveau franc est mis en circulation en France. Un nouveau franc est équivalent à 100 anciens francs. Dans une école de Rueil-Malmaison, en janvier, on enseigne le nouveau franc aux jeunes élèves.

2 JANVIER

LES FRANÇAIS S'ACCOMODENT AU NOUVEAU FRANC
Sur un marché, les prix sont affichés en NF, nouveaux francs. L'adaptation à cette nouvelle monnaie est progressive. Beaucoup la convertissent en anciens francs en lui ajoutant deux zéros ou en faisant reculer la virgule de deux chiffres, mais cette gymnastique mentale n'est pas toujours facilement maîtrisée.

1960

28 JANVIER

LA SEMAINE DES BARRICADES
Le 28 janvier, à Alger, pendant la « semaine des barricades », des territoriaux en armes gardent un des nombreux amoncellements de pavés et d'objets derrière lesquels sont retranchés les insurgés, des Français mécontents de l'orientation prise par le général de Gaulle.

JANVIER 1960 LES INSURGÉS PARTISANS DE L' ALGÉRIE FRANÇAISE SONT RETRANCHÉS DERRIÈRE DES BARRICADES.

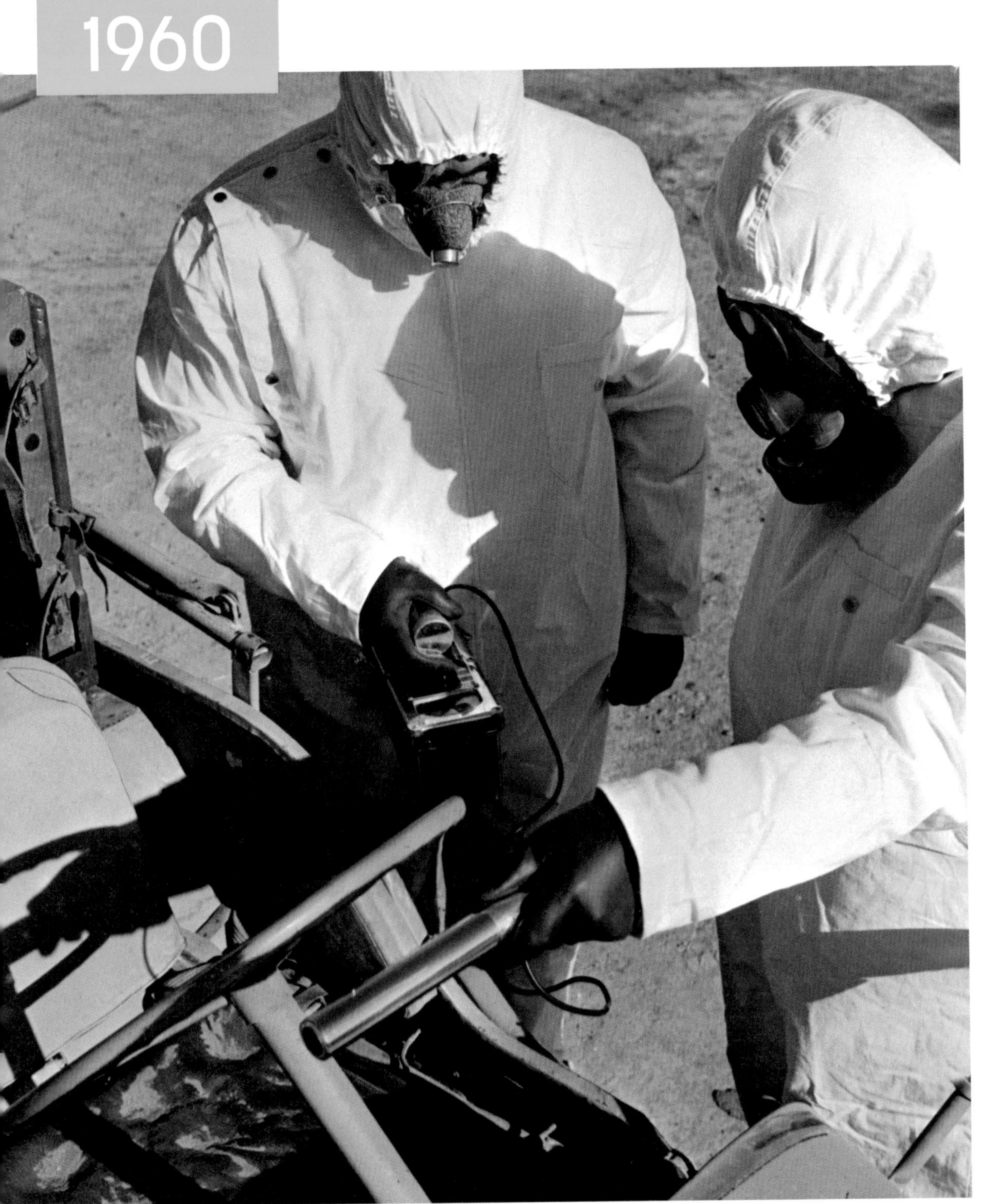

13 FÉVRIER

PREMIERS ESSAIS NUCLÉAIRES FRANÇAIS
Le 13 février, la France fait exploser sa première bombe atomique sur le site d'Hamoudia, près de Reggane, dans le Sahara algérien. Ceux qui sont chargés de mener à bien l'opération sont revêtus de vêtements de protection supposés les protéger des radiations.

1960

AVRIL

KHROUCHTCHEV, INVITÉ À SÉJOURNER EN FRANCE PAR DE GAULLE

Invité par le général de Gaulle, Nikita Khrouchtchev, Premier secrétaire du Parti communiste de l'Union soviétique, séjourne en France et en famille du 23 mars au 3 avril. Dans une atmosphère qui s'oriente plutôt vers la détente entre les blocs est et ouest, et après sa visite aux États-Unis, monsieur K est le premier chef d'État russe reçu à Paris depuis la révolution de 1917.

Cette année-là aussi... Le 4 janvier, Albert Camus est tué dans un accident d'automobile. ... Le 7 mars est publié le premier numéro de l'hebdomadaire *Télé 7 Jours*. ... Le 26 octobre, Saint-John Perse obtient le prix Nobel de littérature.

1961

21 AVRIL

LES TROUPES LOYALISTES OCCUPENT ALGER
Le 21 avril, les troupes loyalistes fidèles à la République française occupent la place du forum d'Alger après l'insurrection des généraux rebelles.

26 AVRIL

LES GÉNÉRAUX REBELLES
Le 26 avril, après la fin de l'insurrection, le quarteron des généraux rebelles, Zeller, Jouhaud, Salan et Challe (de gauche à droite), quitte le Gouvernement général d'Alger.

1ER JUIN

LE COUPLE KENNEDY EN VISITE EN FRANCE

Du 31 mai au 2 juin, le couple Kennedy est invité en France. Le programme des dîners, des visites est riche et chargé. Le général de Gaulle, séduit par le charme de Jacqueline Kennedy, déclare qu'il la trouve « brillante et cultivée ». En revanche, derrière la façade officielle, les deux chefs d'État sont en désaccord sur de nombreux points, le Général tenant avant tout à l'indépendance de la France.

1961

17 OCTOBRE

MANIFESTATION CONTRE LA GUERRE D'ALGÉRIE
Le 17 octobre, le FLN appelle les Algériens de Paris à protester contre le couvre-feu qui leur est imposé à partir de 20 h. Dirigée par le préfet Maurice Papon, la répression est très violente et provoque officiellement la mort d'une centaine de manifestants, en réalité, bien davantage.

Cette année-là aussi… En juillet, le Mirage III est mis en service. Il permet à la France d'être le premier État européen à posséder des avions de chasse pouvant dépasser Mach 2.

1962

18 MARS

SIGNATURE DES ACCORDS D'ÉVIAN
Le 18 mars, les ministres Louis Joxe, Robert Buron et Jean de Broglie signent les accords d'Évian avec Krim Belkacem, ministre des Affaires étrangères du GPRA. Ces accords mettent fin à la guerre d'Algérie.

Les accords d'Évian mettent officiellement fin

D.G.A. N° 32

19 MARS 1962

la convention de

CESSEZ-LE FEU

prévoit

- Les combats s'arrêtent
- Les attentats prennent fin
- Les activités clandestines cessent

- Les prisonniers capturés les armes à la main sont libérés dans les vingt jours
- Les représailles sont interdites
- Une loi d'amnistie est soumise au parlement

A VOUS MAINTENANT DE FAIRE LA PAIX

19 MARS

FIN DU CONFLIT
Le 19 mars 1962, au lendemain des accords d'Évian, le cessez-le-feu intervient en Algérie à midi. Il y est précisé que les représailles sont interdites, ce qui ne sera pas respecté.

au conflit entre la France et l'Algérie.

1962

JUILLET

RAPATRIÉS REJOIGNANT LA FRANCE
Les Européens se rendent compte rapidement que la cohabitation est impossible en Algérie. Ils vont être près de 1 million à tout quitter pour gagner la France, préférant « la valise au cercueil. », après une colonisation qui aura duré cent trente ans. Pendant le mois de juillet 1962, voici des rapatriés qui ont quitté leur terre natale pour rejoindre la France.

Cette année-là aussi... Le 23 janvier, sort sur les écrans *Jules et Jim,* film de François Truffaut. **...** Le 1er juillet est publié le premier numéro du magazine *Salut les copains !* **...** Le 11 juillet a lieu la première transmission télévisée entre la France et les États-Unis en Mondovision depuis Pleumeur-Bodou via le satellite Telstar 1.

22 AOÛT

L'ATTENTAT DU PETIT-CLAMART

Le 22 août, au Petit-Clamart, dans les Hauts-de-Seine, le général de Gaulle et ses proches échappent à un attentat organisé par l'OAS. Le colonel Bastien-Thiry, instigateur de cet attentat, est arrêté le 17 septembre suivant. Il est condamné à mort et fusillé le 11 mars 1963.

Cette année-là aussi... Le 25 septembre, le film de Ken Annakin, Andrew Marton, Bernhard Wicki et Gerd Oswald *Le Jour le plus long* – reconstitution du débarquement allié – sort en France. **...** La France compte 47 millions d'habitants. La population de l'agglomération parisienne se stabilise.

1963

22 JANVIER

L'AMITIÉ FRANCO-ALLEMANDE SE DÉVELOPPE
Le 22 janvier, à l'Élysée, le président français Charles de Gaulle et le chancelier de l'Allemagne fédérale Konrad Adenauer signent un traité d'amitié qui précise que des sommets franco-allemands auront lieu de façon régulière, et crée l'Office franco-allemand de la jeunesse.

1963

11 OCTOBRE

MORT D'ÉDITH PIAF
Le 11 octobre disparaît la chanteuse Édith Piaf. Née Édith Giovanna Gassion, elle était née à Paris en 1915. Du haut de son mètre quarante-deux, la « môme Piaf » avait acquis une célébrité planétaire en interprétant des succès devenus immortels : *Mon légionnaire* (1936), *La Vie en rose* (1946), *Hymne à l'amour* (1950), *Les Amants d'un jour* (1956), *La Foule* (1957), *Non, je ne regrette rien* (1960)...

11 OCTOBRE

DISPARITION DE JEAN COCTEAU

Cinéaste inspiré, réalisateur de *La Belle et la Bête* en 1946, d'*Orphée* en 1960, scénariste de *L'Éternel Retour* en 1943, poète, romancier, auteur dramatique, peintre, dessinateur, céramiste, diariste, élu à l'Académie française en 1955, Jean Cocteau meurt le 11 octobre, le même jour qu'Édith Piaf.

1963

15 JUIN

OUVERTURE DU PREMIER HYPERMARCHÉ

Le 15 juin, le premier hypermarché ouvre ses portes en France, à Sainte-Geneviève-des-Bois, dans l'Essonne : il s'agit d'un Carrefour. Cet hypermarché est une copie des « self-service discount department stores », créés aux États-Unis dans les années 1950.

1963

14 DÉCEMBRE

HENRY BERNARD CONÇOIT LA « MAISON RONDE »
Conçue par l'architecte Henry Bernard pour accueillir la radio-télévision publique française, la maison de la Radio est inaugurée en 1963. Cette « maison ronde » est constituée d'une tour de 68 m de hauteur qu'entoure une construction circulaire de 500 m de circonférence, abritant 1 000 bureaux et 61 studios d'enregistrement. C'est, depuis 1975, le siège de la société Radio France.

14 DÉCEMBRE

INAUGURATION DE LA MAISON DE LA RADIO
Le 14 décembre, le général de Gaulle inaugure la maison de la Radio située avenue du Président-Kennedy, dans le XVIe arrondissement de Paris, accompagné du ministre de l'Information Alain Peyrefitte, en présence d'André Malraux, ministre des Affaires culturelles.

1964

19 DÉCEMBRE

TRANSFERT DES CENDRES DE JEAN MOULIN AU PANTHÉON

Le 19 décembre, lors du transfert des cendres de Jean Moulin au Panthéon, le ministre de la Culture André Malraux prononce son discours demeuré célèbre : « Comme Leclerc entra aux Invalides, avec son cortège d'exaltation dans le soleil d'Afrique, entre ici, Jean Moulin, avec ton terrible cortège… »

1965

LES DÉBUTS DE LA MINIJUPE
La mode féminine se développe à partir de lignes sobres, futuristes ; la robe ou la minijupe (lancée par André Courrèges le 15 mars) se fait une place dans l'univers de la mode en créant la surprise et même le scandale : la téléspeakerine Noële Noblecourt est renvoyée de l'ORTF en 1964 pour avoir montré ses genoux au cours de l'émission « Télédimanche ».

LA CHANSON DES ANNÉES 1960

1 | ANDRÉ VERCHUREN
EN 1961, les petits bals du samedi soir valsent sur *Les Fiancés d'Auvergne,* qu'André Verchuren, né en 1920, marie à son accordéon.

2 | CLAUDE FRANÇOIS
AUTOMNE 1962. Les ondes répercutent dans toutes les chaumières *Belles, belles, belles,* le premier succès de Claude François...

3 | MELINA MERCOURI
LE SOLEIL DE GRÈCE darde ses rayons sur les microsillons en ce tout début des années 1960 : Mélina Mercouri, née à Athènes en 1920, demeure 21 semaines n° 1 des ventes avec sa chanson *Les Enfants du Pirée.*

En mai 1962 surgit sur les ondes de la radio *Une petite fille en pleurs,* poursuivie par Claude Nougaro, qui s'installe pour des lustres dans la mélodie jazzy. Et puis voilà que bondit sur scène, dans les télévisions, la vague « yé-yé », celle qui se déhanche, se trémousse, se déchaîne sur des rythmes venus d'Amérique. Sur des airs d'Elvis Presley, on danse le twist, une « danse de jeunes » selon Charles Trenet, qui qualifie le tango de « danse de vieux ». Les « transistors » répandent une réjouissante nouvelle : *L'École est finie,* mélodie chantée sur tous les tons par une Sheila que rien n'effraie sur la voie de la conquête des copains, pas même le pléonasme : « Donne-moi ta main, et prends la mienne... ». Les « surprises-parties » font monter une fièvre discrète autour des slows dansés dans la pénombre, et le rouge aux joues des demoiselles émues. Le tourne-disque Teppaz, avec changeur automatique de cinq disques 45-tours, fait se succéder Eddy Mitchell et son groupe « Les Chaussettes noires », Dick Rivers, clone d'Elvis, et « Les Chats sauvages ».

1 2 3 4

DES TITRES PHARES

En 1963, Pierre Perret le provocateur décrit *Le Tord-boyaux,* Marie Laforêt fait *Les Vendanges de l'amour* et Charles Aznavour émeut avec *La Mamma.*

Sylvie Vartan, qui va épouser Johnny en 1965, chante, en 1964 : « La plus belle pour aller danser », deux ans après que Françoise Hardy, incarnation d'un romantisme berceur pour vague à l'âme, constate, étonnée : « Tous les garçons et les filles de mon âge se promènent dans les rues deux par deux »...

LE ROMANTISME À L'HONNEUR

Un jour de 1964, les auditeurs de Radio Luxembourg ou d'Europe 1 entendent cette question chantée par un petit nouveau à la voix haut perchée, un peu voilée, et qui va faire craquer des millions d'auditrices avec ses finales en « ...ille » : « Vous permettez, Monsieur, que j'emprunte votre fi-ille / Et bien qu'il me souri-ille / Je sens bien qu'il se méfi-ille »... La même année, Hugues Auffray termine en quatrième place à l'Eurovision avec *Dès que le printemps revient.* L'année précédente, en 1963, Alain Barrière avait fini numéro 1 avec *Elle était si jolie.*

Voix flûtée, à la tessiture étonnante, Michel Polnareff enchante les rêveuses avec son *Love me, please love me* en 1966. Et Jacques Dutronc les fait rire avec *Les Cactus.*

LES ANNÉES BRASSENS, GAINSBOURG...

Pendant ce temps, les chanteurs au long cours continuent leur traversée de la décennie, sans souci. Henri Salvador : *Le lion est mort ce soir,* en 1962 ; Jacques Brel, *Les Vieux,* en 1963 ; Georges Brassens, *Les Copains d'abord,* en 1964 ; Léo Ferré, *C'est extra,* en 1969, année déclarée érotique par Serge Gainsbourg et Jane Birkin ; ils interprètent *Je t'aime, moi non plus,* qui remporte un succès d'autant plus rapide que l'*Osservatore Romano,* le journal du Vatican, a déclaré cette chanson obscène... Le doux lyrisme de Georges Moustaki tempère ces turbulences avec *Le Métèque, Ma Solitude, Il est trop tard...*

4 | RICHARD ANTHONY

IL RENCONTRE LE SUCCÈS avec son troisième disque, *Nouvelle vague.* Puis, la France entière va reprendre en 1962 sa célèbre rengaine de rupture, *Et j'entends siffler le train...*

5 | ANTOINE, VA TE FAIRE COUPER LES CHEVEUX !

LES ÉLUCUBRATIONS d'Antoine remportent un incroyable succès en 1966. Le texte provocateur annonce le grand tournant de 1968.

6 | JOHNNY HALLYDAY DANSE LE TWIST

TOUT JEUNE, Johnny Hallyday fait son apparition dans l'émission d'Aimée Mortimer « L'École des vedettes » en 1960. Le succès est immédiat.

5

6

1965

9 SEPTEMBRE

DE GAULLE ANNONCE LE RETRAIT PROCHAIN DE L'OTAN
Le 9 septembre, au cours d'une conférence de presse, le général de Gaulle prépare les Français au retrait des unités militaires de l'OTAN et à l'évacuation de toutes les bases étrangères en France. Ce retrait est effectif le 7 mars 1966.

1965

Cette année-là aussi…
Le 21 novembre, Mireille Mathieu gagne contre Georgette Lemaire au jeu de la chance, un radio-crochet de « Télé Dimanche » présenté par Roger Lanzac. **…** Le groupe Esso lance sa publicité sur le thème « Mettez un tigre dans votre moteur ». Dès la première année, ses ventes progressent de 22 % contre 8,3 % pour l'ensemble de ses concurrents.

DÉCEMBRE

RÉÉLECTION DE CHARLES DE GAULLE

Le 5 décembre, les électeurs participent massivement à l'élection présidentielle (85 %). Le général de Gaulle est mis en ballottage avec 43,71 % des voix par François Mitterrand (32,23 %) au premier tour. Le 19 décembre, de Gaulle est réélu président de la République, au second tour, avec 54,5 % des voix, contre 45,5% pour Mitterrand.

1966

4 JANVIER

INCENDIE À LA RAFFINERIE DE FEYZIN

Le 4 janvier, des cuves sphériques conservant du gaz butane liquéfié prennent feu à la raffinerie de Feyzin, dans le Rhône. Cette catastrophe provoque la mort de 18 personnes, dont 11 pompiers. Près de 1 500 habitations sont endommagées dans un rayon de 20 kilomètres.

Cette année-là aussi... Le 27 mai, sort sur les écrans le film *Un homme et une femme* de Claude Lelouch avec Anouk Aimée et Jean-Louis Trintignant. ... Le 4 août, première de « Au théâtre ce soir », émission télévisée de Pierre Sabbagh. ... Devant la baisse des ventes du disque 45-tours longue durée (4 titres, 10 francs), l'industrie phonographique lance le 45-tours simple à 2 titres à 5 francs. ... Le 1er décembre sort *La Grande Vadrouille,* un film de Gérard Oury avec Louis de Funès et Bourvil.

1967

18 MARS

NAUFRAGE DU PÉTROLIER *TORREY CANYON*

Le 18 mars, le pétrolier *Torrey Canyon* s'échoue sur Pollard's Rock, entre la pointe sud-ouest des Cornouailles britanniques et les îles Scilly. Dans les jours qui suivent, les vents du nord-ouest poussent 85 % des 120 000 tonnes de pétrole brut qu'il contient vers les côtes bretonnes. C'est la première grande catastrophe écologique de l'histoire.

Le naufrage du *Torrey Canyon* entraîne une véritable

1967

MARS

HABITANTS TENTANT DE NETTOYER LES CÔTES
Dans les jours qui suivent le naufrage du *Torrey Canyon,* le 18 mars, les habitants des zones polluées opposent des moyens dérisoires à la monstrueuse pollution dont ils sont victimes. L'appel aux bonnes volontés, qui arrivent avec pelles et seaux, ne change rien au désastre.

catastrophe écologique sur les côtes bretonnes.

1967

24 JUILLET

DE GAULLE PROVOQUE UN SCANDALE AU QUÉBEC
Le 24 juillet, lors de son voyage officiel au Canada, le général de Gaulle fait halte dans la province francophone du Québec. C'est la première visite d'un chef d'état français dans l'ancienne colonie. Il est acclamé sur tout son parcours par des partisans de l'indépendance de la Belle Province.

Lors de sa visite dans la province du Québec,

24 JUILLET

DE GAULLE AU BALCON DE L'HÔTEL DE VILLE DE MONTRÉAL
Le 24 juillet, à Montréal, alors qu'il ne devait s'adresser qu'aux officiels dans une salle de réception, le Général de Gaulle apparaît au balcon de l'Hôtel de Ville et s'exclame : « Vive le Québec libre ! », provoquant une stupeur outrée dans le monde anglo-saxon.

de Gaulle s'exclame : « Vive le Québec libre ! »

1967

13 AOÛT

SÉISME DANS LES PYRÉNÉES-ATLANTIQUES
Le 13 août, le petit village d'Arette, dans les Pyrénées-Atlantiques, est détruit à 80 % par un tremblement de terre qui provoque la mort d'une personne. On lit, sur l'horloge du clocher près de s'effondrer, l'heure à laquelle le séisme a commencé : 23 h 13.

1968

6 FÉVRIER

INAUGURATION DES JEUX OLYMPIQUES D'HIVER À GRENOBLE

Le 6 février, les Xe jeux Olympique d'hiver, organisés à Grenoble, sont inaugurés en présence du général de Gaulle. Marielle Goitschel y remporte la médaille d'or du slalom. Quatre médailles d'or, trois d'argent, deux de bronze reviennent à la France. Les jeux sont filmés en couleur pour la première fois.

FÉVRIER

LA FRANCE REMPORTE QUATRE MÉDAILLES D'OR AUX JEUX OLYMPIQUES

Lors des jeux Olympiques d'hiver à Grenoble, l'actrice Audrey Hepburn, la comtesse de Ribes, styliste, et Mme Yul Brynner assistent au départ du skieur Jean-Claude Killy dans l'une des épreuves qui vont lui faire gagner trois des médailles d'or sur les quatre que remporte la France.

Cette année-là aussi... Le 29 avril débute la diffusion de la série animée *Les Shadoks* à la télévision française, sur la deuxième chaîne en noir et blanc de l'ORTF à 20 h 30. Ce dessin animé novateur et caustique, créé par Jacques Rouxel avec la voix du comédien Claude Piéplu, va diviser les Français entre ceux qui aiment, et ceux qui détestent.

MAI 68

Les idées de 1968 vont bouleverser les mentalités, supprimer nombre de blocages, changer bien des aspects de la société. Mai 68. L'extrême gauche anarchiste et trotskiste progresse dans les milieux étudiants. L'heure est à la remise en cause d'une société dite de consommation, d'asservissement et d'inégalité, dans un climat qui donne l'illusion d'une rapide conquête de toutes les libertés. Au début du mois de mars, à la faculté de Nanterre, des étudiants ayant manifesté contre la guerre du Viêt Nam sont arrêtés. La riposte du campus est immédiate : les locaux administratifs sont occupés. L'agitation devient telle que le recteur fait fermer la faculté le 2 mai.

Le 3 mai, une manifestation de solidarité a lieu à la Sorbonne, dont le doyen fait appel à la police pour une évacuation sans ménagement – 600 arrestations.

COHN-BENDIT EXPULSÉ

L'UNEF et le SNESup, deux syndicats de tendance communiste fortement influencés par

1 | DANIEL COHN-BENDIT
FUYANT L'ALLEMAGNE NAZIE pendant la guerre, la famille Cohn-Bendit fait halte en France à Montauban. L'un des fils, Daniel, conservant la nationalité allemande, va donner au mouvement de 68 son impulsion décisive.

2 | LA SORBONNE OCCUPÉE
LE 3 MAI, les étudiants occupent la Sorbonne. Des centaines d'entre eux, rassemblés dans la cour, craignent une attaque des mouvements d'extrême droite. La police doit intervenir. Elle procède à 600 arrestations, provoquant des bagarres qui se poursuivent dans la nuit.

1

2

l'idéologie maoïste et anarchiste, lancent alors un ordre de grève. Partout, on commence à voir et entendre celui qui donne les impulsions décisives au mouvement : Daniel Cohn-Bendit, animateur de la tendance libertaire. Arrêté le 27 avril, il est expulsé vers le pays d'où il est venu, l'Allemagne.

UN DÉFILÉ DE 900 000 PERSONNES

Dans la nuit du 10 au 11 mai 1968, des barricades s'élèvent dans le Quartier latin, des voitures sont incendiées, les affrontements entre les étudiants et les forces de l'ordre font plus de 1 000 blessés. Bientôt, les syndicats ouvriers rejoignent le mouvement étudiant.

Le 13 mai, une manifestation gigantesque rassemble 900 000 personnes, qui défilent de la République à Denfert-Rochereau. En tête, notamment : Mendès France, Mitterrand, Waldeck-Rochet – secrétaire général du Parti communiste –, Sauvageot, Geismar et Cohn-Bendit, revenu sans s'annoncer... Georges Pompidou tente de calmer les esprits en signant les accords de Grenelle, qui relèvent le SMIG, réduisent la durée du travail pour ceux qui font plus de quarante-huit heures par semaine et renforcent le droit syndical dans l'entreprise. Mais le climat demeure tendu.

30 MAI 1968.
DE GAULLE : « JE NE ME RETIRERAI PAS ! »

Le 29 mai 1968, le général de Gaulle s'envole pour l'Allemagne, plus précisément pour Baden-Baden où sont stationnées les Forces françaises d'Allemagne (les FFA) qui ont à leur tête une vieille connaissance du chef de l'État, le général Massu. Le lendemain, 30 mai, de Gaulle est de retour. À la radio, il annonce fermement : « Je ne me retirerai pas ! » et, le soir, 1 million de personnes se rassemblent sur les Champs-Élysées pour le soutenir. Il dissout l'Assemblée, annonce des élections qui se déroulent les 23 et 30 juin. Les candidats gaullistes triomphent. Mai 68, c'est fini. Les Français s'en vont tranquillement sur les plages dès le 1er juillet.

3 | LA NUIT DES BARRICADES
LE 10 MAI, des barricades sont construites dans le Quartier latin. Toute la nuit, des affrontements entre les étudiants et les CRS ont lieu. Des voitures sont renversées, brûlées.

4 | CRS SUR LES BARRICADES
LES FORCES DE L'ORDRE tentent de reprendre le contrôle de la situation. En pleine nuit des barricades, plusieurs CRS franchissant les pavés entassés par les étudiants.

5 | LA GRÈVE DES OUVRIERS
LES OUVRIERS DES USINES RENAULT se mettent en grève le 15 mai aux usines Cléon et le 16 à Billancourt. Cette grève va durer plus de 1 mois.

3

4

5

MAI 68 LE 23 MAI, RUE GAY-LUSSAC, À PARIS, LES ÉTUDIANTS ONT DRESSÉ UNE BARRICADE.

UNICO
PR

1968

24 AOÛT

ESSAI DE LA PREMIÈRE BOMBE À HYDROGÈNE FRANÇAISE

Le 24 août, la première bombe française à hydrogène, la bombe H, explose à l'occasion d'un tir d'essai au-dessus de l'archipel de Mururoa, dans le Pacifique.

1969

28 AVRIL

DÉMISSION DU GÉNÉRAL DE GAULLE

Le 28 avril, les journaux français et étrangers annoncent la victoire du non au référendum sur la réforme des régions et du Sénat élaborée par Jean-Michel Jeanneney. Ainsi que le général de Gaulle l'avait annoncé le 25 janvier, le « non » au référendum le conduirait à cesser immédiatement ses fonctions. C'est ce qu'il a fait le 27 au soir.

15 JUIN

GEORGES POMPIDOU SUCCÈDE AU GÉNÉRAL

Fils d'instituteur, Georges Pompidou (ici en campagne électorale), natif de Montboudif, dans le Cantal, normalien, agrégé de lettres, Premier ministre du général de Gaulle de 1962 à 1968, accède aux plus hautes fonctions de l'État au second tour des élections présidentielles, le 15 juin. Il obtient 57,8 % des suffrages exprimés, contre 42,2 % à Alain Poher. Les abstentions s'élèvent à 31,14 %.

LE CINÉMA DE LA NOUVELLE VAGUE

Changer tout, faire table rase du passé, reconstruire, créer, innover, inventer… Tout cela caractérise la « nouvelle vague » à la fin des années 1950 au cinéma. Elle est emmenée par Jean-Luc Godard, François Truffaut, Éric Rohmer, Agnès Varda, Jacques Rivette, Claude Chabrol. Foin du héro d'avant-guerre qui fige l'écran dans des paramètres où il prend toute la place, foin de la simple transcription de romans, vive la vie de tous les jours !

LE SEPTIÈME ART EN PLEINE MUTATION

Les personnages sont issus du quotidien, ils sont les héros de l'ordinaire, de l'air du temps. On se préoccupe de l'évolution de la société :

1 | QUEL CORNIAUD !

NOUVELLE VAGUE, Gérard Oury ? Oui, si l'on considère que le comique cherche aussi des façons neuves de distraire. Et l'on rit sans retenue en suivant les aventures du *Corniaud* (1964), joué par Bourvil et Louis de Funès.

2 | BELMONDO LE TRUAND

EN JUIN 1960, sort le film emblématique de la nouvelle vague : *À bout de souffle,* de Jean-Luc Godard. On y découvre un Jean-Paul Belmondo, Michel, en truand convaincant, une Jean Seberg, Patricia, naturelle jusqu'au bout, jusqu'à la scène finale, la tragédie, comme dans la vie.

1

2

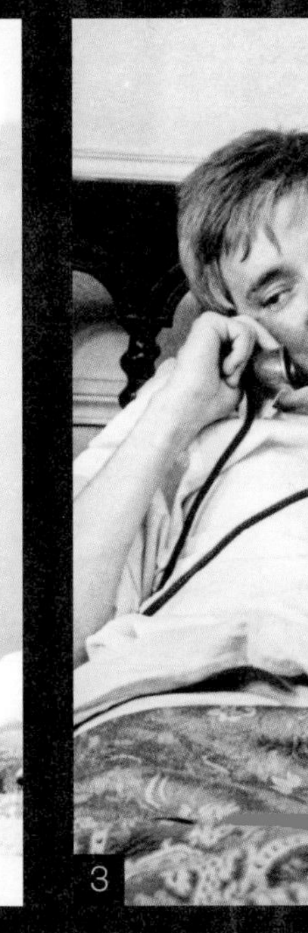

3

le cinéma le montrera. La famille change, se décompose, se recompose : le cinéma en témoignera. La guerre, toujours présente, rôde et tue, là-bas : le cinéma le dira. Et de quelle façon ? En essayant de nouvelles écritures cinématographiques, en créant non pas de nouveaux cahiers des charges, mais que ces charges se muent en libertés. Liberté de donner à la voix off le statut d'un personnage, liberté d'exploiter des plans fixes, de mettre dans le jeu le spectateur afin qu'il n'oublie jamais qu'il est au cinéma, que le cinéma est un art, comme les autres, à part entière et non pas à leur remorque, un art indépendant.

UN NOUVEAU JEU D'ACTEUR

Plus de déclamations ampoulées ou maladroitement braillardes, plus de répliques empesées qui sentent le théâtre mal compris, l'acteur fond sa diction dans celle de tout le monde. Ainsi fait Belmondo, figure emblématique de la nouvelle vague, ainsi parle Jean-Pierre Léaud, mal à l'aise comme on en croise, ainsi se donne au naturel Jean-Claude Brialy, ainsi reconnaît-on Brigitte Bardot à sa diction en vagues sur l'aigu vaguement décalé au regard des accents habituels. Ainsi beaucoup d'autres.

CRITIQUES ET CONTESTATION

La nouvelle vague se répand plus qu'elle ne déferle dans le monde du cinéma. Elle change les mentalités, elle fait évoluer les techniques, elle accepte les innovations, les adapte, elle aime, elle adore le cinéma américain et s'en inspire. Mais elle doit subir la critique qui sort ses griffes et l'accuse de théoriser, d'improviser pour circonvenir l'incompétence, de se laisser aller aux facilités de l'autobiographie, au narcissisme… Cent ans auparavant, Victor Hugo disait : « Être contesté, c'est être constaté. » Aujourd'hui, on conteste encore la nouvelle vague, on l'affirme donc dans son existence, on la constate formellement, vive, constante, présente, et toujours moderne.

3 | JIM RETROUVE CATHERINE

JULES ET JIM (1962) aiment la même femme, Catherine. Elle épouse Jules. La guerre survient. Jim retrouve Catherine. Il faut voir ce film de Truffaut, qui illustre la nouvelle vague.

4 | BARDOT NUE

LE MÉPRIS (1963), écrit Jean-Louis Bory, c'est du pur Godard. Pourtant, Godard n'est pas content : le producteur américain a exigé que Brigitte Bardot apparaisse nue dans le film. Voilà qui est fait.

5 | LÉAUD, QUATORZE ANS

Les Quatre Cents Coups (1959) content les souvenirs à peine déguisés de François Truffaut, qui offre à Jean-Pierre Léaud, quatorze ans, son premier rôle.

JUIN 1969 GEORGES POMPIDOU, CANDIDAT AUX PRÉSIDENTIELLES.

LES ANNÉES POMPIDOU ET GISCARD

Les années 1970 commencent sous le signe de la confiance. Pourtant, la période que Jean Fourastié appelle les Trente Glorieuses – trente années de croissance continue depuis 1945 – arrive à son terme. Le premier choc pétrolier en 1973 va enclencher la montée continue du chômage. La croissance stagne puis ralentit. L'augmentation du taux de natalité – le baby-boom –, apparu après guerre, s'interrompt. Après la mort de Georges Pompidou, la société libérale avancée imaginée par le président Giscard d'Estaing va se heurter au deuxième choc pétrolier, et la France termine la décennie avec un Raymond Barre grand chasseur de « gaspi ».

1970

15-16 AVRIL

IMPORTANT GLISSEMENT DE TERRAIN EN HAUTE-SAVOIE
Dans la nuit du 15 au 16 avril, un glissement de terrain ensevelit sous la boue et la neige une partie du sanatorium pour enfants, au Roc de Fiz, sur le plateau d'Assy ; 71 personnes trouvent la mort dans cette catastrophe.

1ER NOVEMBRE

INCENDIE DANS UN DANCING EN ISÈRE

Le 1er novembre, à 1 h 40 du matin, un incendie se déclare dans le dancing le « 5-7 », à Saint-Laurent-du-Pont, en Isère. Les sorties de secours étant bloquées, les occupants du dancing se pressent vers le tourniquet d'entrée, rendant l'évacuation impossible. L'incendie fait 146 victimes.

1970

12 NOVEMBRE

FUNÉRAILLES DU GÉNÉRAL DE GAULLE
Le 9 novembre, le général de Gaulle meurt d'une rupture d'anévrisme dans sa propriété de La Boisserie. Ses obsèques sont célébrées à Colombey-les-Deux-Églises, trois jours plus tard, pendant qu'un office rassemble dans la cathédrale Notre-Dame de Paris un grand nombre de chefs d'État venus lui rendre hommage.

Le jour des obsèques du Général, des centaines de milliers de Français

1970

12 NOVEMBRE

LES FRANÇAIS RENDENT HOMMAGE À DE GAULLE
Après le service religieux célébré à Notre-Dame pour la disparition du général de Gaulle, des centaines de milliers de personnes remontent lentement les Champs-Élysées sous la pluie, vers l'Arc de triomphe.

défilent en son honneur sur les Champs-Élysées, sous la pluie.

1971

le nouvel
OBSERVATEUR

la liste des 343 françaises
qui ont le courage
de signer le manifeste
« JE ME SUIS FAIT AVORTER »

5 AVRIL

343 FEMMES EN FAVEUR DE L'AVORTEMENT

Dans l'hebdomadaire *Le Nouvel Observateur* est publié le manifeste des 343 femmes en faveur de l'avortement. Ces femmes du monde des arts et des lettres revendiquent avoir eu recours à l'avortement. Rédigé par Simone de Beauvoir, il est signé, entre autres, par Catherine Deneuve, Marguerite Duras, Jeanne Moreau, Françoise Sagan, Anne Wiazemsky.

13 JUIN

VOTES AU CONGRÈS D'UNIFICATION DES SOCIALISTES
Du 11 au 13 juin, au congrès d'Épinay-sur-Seine, François Mitterrand prend le contrôle du Parti socialiste auquel il a adhéré, y intégrant la Convention des institutions républicaines, parti qu'il a créé en 1964 et qui rassemble plusieurs courants de la gauche.

BONALDY
TRAVAUX PUBLICS
TAXIS

1971

SEPTEMBRE

DESTRUCTION DES HALLES

En juillet commence la destruction de six pavillons des Halles de Paris afin de construire le Forum des Halles et la gare RER. Ils avaient été construits par Victor Baltard sous le second Empire. On peut les voir encore… dans le roman de Zola *Le Ventre de Paris,* ou en contemplant les photos de Robert Doisneau.

1971

19 OCTOBRE

DÉBUT DES PARCMÈTRES À PARIS

Le 19 octobre, les Parisiens découvrent les premiers parcmètres, rue de Rivoli, et les premières contractuelles, qui dressent des procès-verbaux aux contrevenants.

Cette année-là aussi… La productivité agricole augmente constamment : 43,2 quintaux de blé sont produits à l'hectare en moyenne, contre 15,8 en 1930-1939. … C'est 70 % des ménages qui possèdent la télévision.

1972

31 JUILLET

LES PARENTS DE LA JEUNE BRIGITTE DEWÈVRE ASSASSINÉE MANIFESTENT PLACE VENDÔME

Le 6 avril, le corps de Brigitte Dewèvre, quinze ans, est découvert à Bruay-en-Artois. Le notaire Pierre Leroy est accusé du meurtre, sans véritables preuves, par le juge Henri Pascal, et le suspect est relâché trois mois plus tard. Place Vendôme, à Paris, des habitants de Bruay viennent réclamer sa réincarcération, qui n'aura pas lieu : un an après, un jeune homme s'accuse du meurtre, sans véritables preuves non plus. L'affaire est classée sans suite en 1981.

1972

22 NOVEMBRE

L'AVOCATE GISÈLE HALIMI À L'ISSUE DU PROCÈS DE BOBIGNY

Le 22 novembre, à l'issue du procès de Bobigny, l'avocate Gisèle Halimi répond aux journalistes après avoir obtenu la relaxe de sa cliente, une jeune fille de seize ans, enceinte après un viol, ayant avorté avec le consentement de sa mère.

Cette année-là aussi… Le 18 juin, pour le trente-deuxième anniversaire de l'appel du général de Gaulle, Georges Pompidou inaugure la grande croix de Lorraine, symbole de la France libre, construite à Colombey-les-Deux-Églises.

1973

Cette année-là aussi... Le 3 juin, un Tupolev 144 s'écrase à Goussainville, pendant le Salon du Bourget, tuant les 6 membres de l'équipage et 8 personnes au sol.

OCTOBRE

PREMIER CHOC PÉTROLIER

Du 6 au 25 octobre se déroule la guerre du Kippour, qui oppose une coalition menée par la Syrie et l'Égypte à l'État d'Israël. Celui-ci termine victorieux. Ce conflit a pour conséquence l'augmentation considérable des prix du pétrole, décidée par l'OPEP. C'est le premier choc pétrolier, et la France réalise à quel point elle est dépendante de l'or noir, qu'elle importe dans sa presque totalité.

1974

5 MARS

L'AÉROTRAIN DE JEAN BERTIN

Concurrent du projet TGV, l'aérotrain conçu par l'ingénieur Jean Bertin bénéficie du soutien des pouvoirs publics. Le 5 mars, ce véhicule de transport révolutionnaire, qui se déplace sur un monorail dont il est séparé par un coussin d'air, établit le record du monde de vitesse sur rail : 430,2 km/h. Quatre mois plus tard, le projet aérotrain est abandonné.

8 MARS

INAUGURATION DE L'AÉROPORT DE ROISSY

Le 8 mars, le président Georges Pompidou souffrant de la maladie qui l'emportera trois semaines plus tard, c'est Pierre Messmer, son Premier ministre, qui inaugure l'aéroport de Roissy, circulaire et futuriste. Ici en compagnie d'hôtesses, le ministre de la Défense, Robert Galley, emprunte l'un des tapis roulants qui fonctionnent ; celui qui conduisait Pierre Messmer était tombé en panne.

1974

4 AVRIL

CÉRÉMONIE EN HOMMAGE À GEORGES POMPIDOU
Le dix-neuvième président de la République française, Georges Pompidou, meurt d'une maladie de la moelle osseuse le 2 avril. Ses obsèques ont lieu deux jours plus tard. Un office religieux est célébré dans la cathédrale Notre-Dame de Paris, où sont rassemblées de nombreuses personnalités, dont Michel Debré, Maurice Couve de Murville, Jacques Chaban-Delmas…

4 AVRIL

OBSÈQUES DE GEORGES POMPIDOU
Le président Georges Pompidou est inhumé le 4 avril dans le cimetière d'Orvilliers, près de Mantes-la-Jolie, où il possédait une propriété.

1974

11 MAI

DÉBAT ENTRE VALÉRY GISCARD D'ESTAING ET FRANÇOIS MITTERRAND AU SECOND TOUR DES PRÉSIDENTIELLES

Valéry Giscard d'Estaing, candidat de l'UDF, et François Mitterrand, candidat du Parti socialiste, s'affrontent lors d'un débat télévisé dans les studios de l'ORTF. Vingt-cinq millions de téléspectateurs entendent Giscard répliquer à Mitterrand la fameuse petite phrase : « Vous n'avez pas le monopole du cœur », qui pèsera lourd, le 19 mai, dans les urnes.

1974

13 DÉCEMBRE

PROJET DE LOI EN FAVEUR DU DROIT À L'AVORTEMENT
Le 13 décembre, Simone Veil, ministre de la Santé, prononce son discours sur le projet de loi en faveur de l'avortement, à la tribune du Sénat. La loi est votée le 17 janvier suivant.

Cette année-là aussi... Ce sont 63 % des ménages qui possèdent une automobile (et 72 % des ménages ouvriers) ; 88,5 % des ménages disposent d'un réfrigérateur, 82,4 % de la télévision et 48,7 % d'une machine à laver.

1975

9 DÉCEMBRE 1974

GRÈVE DE L'ORTF
Annoncé le 7 août par le Premier ministre Jacques Chirac, le démantèlement de l'Office de la radiodiffusion télévision française au profit de sept sociétés indépendantes provoque des grèves qui n'auront pas d'effet : l'ORTF est mort et enterré quelques mois plus tard.

6 JANVIER 1975

INAUGURATION DE TF1
Le 6 janvier 1975, l'ancienne Première chaîne de télévision de l'ORTF est inaugurée et devient TF1. Ses nouveaux programmes commencent dès le soir, de même que ceux de l'autre nouvelle chaîne, Antenne 2, dirigée par Marcel Jullian. La troisième chaîne est baptisée France Régions 3. Dans le même temps, naît Radio France (Inter, Culture, Musique et FIP).

1975

21 JUILLET

LE TOUR DE FRANCE ARRIVE POUR LA PREMIÈRE FOIS SUR LES CHAMPS-ÉLYSÉES

Le 21 juillet a lieu la première arrivée du Tour de France sur les Champs-Élysées. Cette soixante-deuxième édition du Tour est remportée par Bernard Thévenet. Eddy Merckx, qui allait gagner l'épreuve pour la sixième fois, a été victime d'un accident et termine à la deuxième place.

Cette année-là aussi...
La population active est de 21,8 millions, avec 830 000 chômeurs ; 9,5 % des actifs travaillent dans l'agriculture contre 26,9 % en 1954 ; 82,7 % des actifs sont salariés contre 65,7 % en 1954.

FÉVRIER

PATRICK HENRY ÉCHAPPE À LA PEINE DE MORT

Le 30 janvier, Patrick Henry enlève le petit Philippe Bertrand, âgé de huit ans, à la sortie de l'école, puis demande une rançon à ses parents. Avec aplomb, il affirme son innocence, mais, le 17 février, il est arrêté et avoue le meurtre de l'enfant. Après un procès retentissant qui relance la polémique sur la peine de mort, Patrick Henry, défendu par Robert Badinter, est condamné à la réclusion criminelle à perpétuité.

LE CINÉMA DES ANNÉES 1970

Même si le cinéma des années 1970 produit des scénarios où certaines doctrines et pratiques politiques sont malmenées, tel *L'Aveu,* de Costa Gavras en 1970, avec Yves Montand ; même si le grand écran nous offre de petites histoires d'assassins, sordides, tel *Le Boucher,* de Claude Chabrol en 1970, avec un Popaul trouble à souhait et une institutrice naïvement ambiguë ; même si on admire Bourvil dans son dernier film – il est atteint d'un cancer et meurt le 23 septembre 1970 –, *Le Cercle rouge,* où les malfrats jouent et gagnent place Vendôme ; même si l'on pousse des haut-le-cœur en regardant – ou pas – *La Grande Bouffe* de Marco Ferreri en 1973, avec Philippe Noiret et Marcello Mas-

1 | *TRAFIC*
APRÈS LA FAILLITE de la société de production Specta films, Jacques Tati, qui s'est trouvé dans une situation financière catastrophique, offre malgré tout à son fidèle public *Trafic* en 1971, une œuvre d'une qualité égale aux précédentes.

2 | LA FOLIE DE GÉRARD OURY
ON S'AMUSE beaucoup en suivant Don Salluste et Blaze dans *La Folie des grandeurs* en 1971, film de Gérard Oury, au scénario inspiré de *Ruy Blas*, et que jouent Louis de Funès, Yves Montand, Alice Sapritch, sur une musique de Michel Polnareff.

1

2

troianni ; même si l'on assiste au sommet de l'horreur dans *Le Vieux Fusil,* en 1975, avec Romy Schneider et Philippe Noiret ; même si l'on s'émeut en suivant l'amour perdu d'avance de *La Dentellière* en 1977, d'après le roman de Pascal Lainé, prix Goncourt 1974, avec Isabelle Huppert dans le rôle de Pomme ; même si tous ces films obtiennent des succès confortables, c'est le rire qui l'emporte dans les années 1970.

RIRE ET COMÉDIE

Un rire virevoltant, un rire d'aventure révolutionnaire que nous offre Jean-Paul Rappeneau dans *Les Mariés de l'An II,* sorti en 1971, avec Jean-Paul Belmondo et Marlène Jobert. Un rire sans fin devant *Les Aventures de Rabbi Jacob* en 1973, réalisé par Gérard Oury, avec Louis de Funès, Claude Giraud, Popeck, Miou-Miou. Un rire débridé, jubilatoire et jouissif en voyant et en écoutant les surprenants Gérard Depardieu, Patrick Dewaere, Miou-Miou, Jeanne Moreau, Brigitte Fossey dans *Les Valseuses* de Bertrand Blier. Un rire un peu, et même beaucoup, grivois, avec *Les Galettes de Pont-Aven,* de Joël Séria, avec Jean-Pierre Marielle, Bernard Fresson, Claude Pieplu, Romain Bouteille.

FILMS CULTES

Un rire gargantuesque et gastronomique en dégustant, avec Coluche et Louis de Funès, *L'Aile ou la Cuisse* de Claude Zidi, en 1976. Un rire coquin, avec *La Cage aux folles* en 1978, réalisé par Édouard Molinaro, avec Ugo Tognazzi et Michel Serrault.
Dans *Les Bronzés,* les irrésistibles Michel Blanc, Christian Clavier, Marie-Anne Chazel, Thierry Lhermitte, Josiane Balasko et Gérard Jugnot, en 1978, restent dans les mémoires – équipe qui joue en 1979 (à l'exception de Michel Blanc) *Le père Noël est une ordure,* pièce qui, en 1982, devient un film réalisé par Jean-Marie Poiré. En 1979, Leconte récidive avec *Les Bronzés font du ski.* Et on rit, on rit, comme on n'a jamais autant ri depuis.

3 | *LES AVENTURES DE RABBI JACOB*
LOUIS DE FUNÈS (Victor Pivert) est emporté dans une série de quiproquos et de situations cocasses parce qu'il a été confondu avec un rabbin.

4 | *LES VALSEUSES*
JOYEUSEMENT PROVOCATEUR et désopilant, ce film raconte la cavale de deux héritiers directs de mai 68 qui veulent mettre en pratique tout ce que la libération sexuelle est censée leur offrir.

5 | *LES BRONZÉS*
COMÉDIE CAUSTIQUE, au vitriol, déboutonnée, lucide, ironique en diable, voici le film *Les Bronzés* de Patrice Leconte en 1978.

3

4

5

1976

19 MAI

CRÉATION DU LOTO NATIONAL
Le 19 mai se déroule au Théâtre de l'Empire, à Paris, le premier tirage du Loto national, produit de La Société de la Loterie nationale et du Loto national, la SLNLN, qui vient d'être créée. À peine 100 000 bulletins ont été enregistrés. En septembre, un gagnant fait la une de la presse. Un an plus tard, plus de 7 millions de joueurs tentent leur chance chaque semaine.

18 JUILLET

LE « CASSE DU SIÈCLE » D'ALBERT SPAGGIARI
Le 18 juillet, la Société générale de Nice est dévalisée : un gang de cambrioleurs a pu pénétrer dans la salle des coffres, en briser 371 et repartir avec un butin de près de 30 millions de nos actuels euros. Trois mois plus tard, Albert Spaggiari, arrêté, avoue avoir monté ce « casse du siècle » et imaginé la construction du tunnel conduisant aux coffres et dont voici l'entrée. Évadé l'année suivante, il meurt en Italie en 1989.

1976

JUILLET

SÉCHERESSE DUE À UNE VAGUE DE CHALEUR EXCEPTIONNELLE

Après un hiver rigoureux, le printemps est particulièrement sec. Une vague de chaleur s'abat sur la France à partir du mois de mai. L'été va être torride, les températures se rapprochent des 40 °C les 15 et 16 juillet, et les incendies se multiplient. Le 18 juillet, de violents orages éclatent dans le Var. Août est très sec et creuse le déficit en eau. De violentes tempêtes – et un impôt sécheresse – marquent la fin de l'année.

Cette année-là aussi...
Le 28 mars, l'heure d'été est instaurée afin de faire des économies d'énergie et de pallier le choc pétrolier de 1973. ... Le 28 juillet, Christian Ranucci est exécuté pour le meurtre d'une fillette. L'écrivain Gille Perrault fait part de ses doutes sur la culpabilité de Ranucci en 1978 dans son livre *Le Pull-over rouge*.

1977

JANVIER

CONSTRUCTION DU CENTRE GEORGES-POMPIDOU

En 1969, Georges Pompidou décide de la création d'un nouveau musée d'art moderne. Sur les 681 projets présentés, c'est celui de Renzo Piano et de Richard Rogers qui est retenu. Le 31 janvier 1977, Valéry Giscard d'Estaing inaugure le « Centre national d'art et de culture Georges-Pompidou », en présence du Premier ministre Raymond Barre et de Mme Claude Pompidou.

Cette année-là aussi... Le 30 janvier, après avoir été retenue en captivité par les rebelles tchadiens pendant deux ans, l'ethnologue Françoise Claustre est libérée.

1978

16 MARS

NAUFRAGE DU PÉTROLIER *AMOCO CADIZ* AU LARGE DU FINISTÈRE

Le 16 mars, le pétrolier *Amoco Cadiz* fait naufrage sur les rochers de Men Gourven, au large de Portsall, dans le Finistère. Les 220 000 tonnes de pétrole brut et les 3 000 tonnes de fuel qu'il transporte se répandent sur 400 km de côtes bretonnes, créant l'une des pires catastrophes écologiques de l'histoire.

Le naufrage du pétrolier *Amoco Cadiz* provoque une marée noire.

1978

MARS

TENTATIVE DE NETTOYAGE DES PLAGES

Des unités volontaires de l'armée, des associations d'écologistes, des agriculteurs, auxquels s'ajoutent des centaines de personnes sommairement équipées, vont tenter de lutter contre cette marée noire désastreuse dont sont aussi victimes des milliers d'oiseaux.

MARS

LE PÉTROLE ATTEINT LES CÔTES BRETONNES

C'est un spectacle de désolation que découvrent les Bretons à mesure qu'arrive sur les plages, sur les rochers, l'immense nappe de pétrole brut dont le fort vent d'ouest répand l'odeur dans les campagnes. Cette marée noire touche de plein fouet les métiers de la mer et du tourisme, dont le chiffre d'affaires chute de façon catastrophique.

sans précédent en Bretagne, aux conséquences dramatiques.

1978

7 AVRIL

« EMPAIN ENCHAÎNÉ »
Le 23 janvier, le baron Édouard-Jean Empain, P-DG du groupe Empain-Schneider, est enlevé avenue Foch, à Paris. Ses ravisseurs exigent le paiement d'une rançon considérable. Ils font pression sur la famille en lui envoyant une phalange de l'auriculaire de leur otage. Après deux mois de séquestration, le baron est libéré. Ses ravisseurs, capturés, sont condamnés à quinze et vingt années de prison.

16 NOVEMBRE

LE NAVIGATEUR ALAIN COLAS DISPARAÎT EN MER

Le 16 novembre, le navigateur Alain Colas disparaît en mer, corps et biens, au large des Açores, alors qu'une tempête vient de se déchaîner. Onze jours auparavant, à bord de son trimaran *Manureva,* long de 20 mètres, il a pris le départ de la première Route du Rhum qui rallie Saint-Malo à Pointe-à-Pitre. « Je suis dans l'œil du cyclone… Il y a des montagnes d'eau autour de moi… » est son dernier message radio.

1979

23 MARS

LES TRAVAILLEURS MANIFESTENT EN LORRAINE

En décembre 1978, l'annonce de la suppression de 200 000 emplois dans la sidérurgie crée une onde de choc. Lancée par la CGT, l'idée d'une grande manifestation pour défendre l'emploi en Lorraine se concrétise le 23 mars. Provoquées par des « casseurs » externes à la manifestation, des violences éclatent au cours du défilé, et plus de 120 vitrines sont brisées. La manifestation doit être abrégée.

1979

SEPTEMBRE

OUVERTURE AU PUBLIC DU FORUM DES HALLES

Décidé par le Premier ministre Michel Debré en 1960, le départ du marché de gros de la capitale vers Rungis et la Villette a laissé libre l'emplacement des Halles de Paris. Après la démolition des pavillons Baltard, le Forum des Halles, labyrinthe bordé d'espaces commerciaux, est inauguré par Jacques Chirac, maire de Paris, le 4 septembre.

1979

17 SEPTEMBRE

LA CHAÎNE MC DONALD'S S'IMPLANTE EN FRANCE

Quoique le tout premier Mc Donald's ait été ouvert à Créteil en 1972, la chaîne de restauration rapide américaine considère, pour des raisons de respect du cahier des charges, que le premier Mac Do est celui qui a ouvert ses portes le 17 septembre de cette année 1979. C'est à partir de cette date que les Français vont vraiment faire connaissance avec le Big Mac.

LE MAXI
TONIC WATER
SHAKES chocolat, vanille, fraise
SERVICE GRATUIT
3.30
4.30
3.30
4.30
5.00
VILLE DE PARIS
LICENCE I
N°26979
DEBIT DE BOISSONS
McDonald's
15.20

1979

OCTOBRE

VALÉRY GISCARD D'ESTAING EN VISITE OFFICIELLE EN RÉPUBLIQUE CENTRAFRICAINE, EN COMPAGNIE DU PRÉSIDENT BOKASSA

Le 10 octobre paraît dans le *Canard enchaîné* un article qui jette la stupeur et la consternation : le président de la République, Valéry Giscard d'Estaing, aurait bénéficié, entre autres cadeaux, de diamants offerts par Bokassa, président de la République centrafricaine. Le président traite par le mépris ces révélations, mais son image se dégrade auprès des Français, qui lui préfèrent François Mitterrand en 1981.

1979

30 OCTOBRE

SUICIDE PRÉSUMÉ DU MINISTRE ROBERT BOULIN

Le 30 octobre, le ministre du Travail Robert Boulin est retrouvé mort noyé dans l'Étang rompu en forêt de Rambouillet. La thèse du suicide l'emporte d'abord, Robert Boulin ayant été fragilisé par des articles le mettant en cause dans une affaire immobilière. Mais une autre thèse évoque un assassinat, le ministre possédant trop d'informations secrètes sur le financement de certains partis politiques.

TRENTE-SIXIÈME ANNÉE — N° 10 810 DERNIÈRE ÉDITION JEUDI 1er NOVEMBRE 1979

LA CRISE CENTRAFRICAINE

Le président Dacko déclare tout ignorer du sort de M. Patasse

LIRE PAGE 4

Le Monde

Fondateur : Hubert Beuve-Méry Directeur : Jacques Fauvet

2,00 F

Tarif des abonnements page 27

5, RUE DES ITALIENS 75427 PARIS CEDEX 09

Tél. : 246-72-23

M. Hua Guofeng à Londres

Le premier ministre chinois s'est livré à une violente attaque contre l'U.R.S.S.

Le message

A Londres, le premier ministre chinois a pu enfin donner tout son sens à sa visite en Europe. Libéré des obligations de réserve à l'égard de ses hôtes précédents, français et ouest-allemands, qui étaient soucieux de préserver leurs bonnes relations avec le Kremlin, M. Hua Guofeng a en effet profité de l'hostilité à peine déguisée du gouvernement conservateur de Mme Thatcher envers l'U.R.S.S. pour se livrer à des attaques vigoureuses et répétées contre l'« hégémonisme ».

Le message que le dirigeant chinois voulait faire passer aux Européens a été lancé lors du dîner offert en son honneur à Downing-Street par la « dame de fer », qu'il n'a pas hésité à comparer à Churchill. « De même que Winston Churchill a dévoilé les ambitions des nazis, a-t-il affirmé, de même vous avez identifié sans équivoque la source du danger de guerre et exigé que des mesures appropriées soient adoptées. »

M. Hua s'est fait lyrique pour évoquer le célèbre appel de 1940,

M. Hua Guofeng a été reçu mardi 30 octobre par la reine Elizabeth et par Mme Thatcher. Au cours du dîner offert par cette dernière en son honneur, il s'est livré à son attaque la plus violente contre l'« hégémonisme » soviétique, sans toutefois le citer nommément. Le premier ministre chinois a d'autre part comparé son homologue britannique à la grande figure historique de Churchill.

De notre correspondant

Londres. — M. Hua Guofeng a prononcé mardi soir 30 octobre, lors d'un dîner à Downing Street, le discours le plus antisoviétique de sa tournée européenne. En revanche, Mme Thatcher, à laquelle il a prêté les vertus de Churchill, s'est montrée d'une discrétion surprenante à l'égard de l'U.R.S.S. Mis en confiance par les récentes déclarations du chef du gouvernement conservateur, violemment hostiles à la politique d'armement soviétique,

Les accusations de M. Robert Boulin

« La collusion évidente d'un escroc paranoïaque, d'un juge ambitieux et de certains milieux politiques où, hélas, mes propres amis ne sont pas exclus, aboutit à suspicion »

« Le dévoiement dans la révélation du secret de l'instruction laisse froid un garde des sceaux plus préoccupé de sa carrière que du bon fonctionnement de la justice »

Vingt-quatre heures après la mort de Robert Boulin, une lettre de ce dernier est parvenue, mercredi 31 octobre, à l'Agence France-Presse, aux journaux « Sud-Ouest » et « Minute » ainsi qu'à M. Jacques Chaban-Delmas, président de l'Assemblée nationale. « Le Monde » n'a, pour sa part, reçu aucun courrier de l'ancien ministre du travail, contrairement à certains bruits.

Dans sa lettre, Robert Boulin porte de graves accusations contre M. Henri Tournet, promoteur responsable des opérations de vente du domaine du Val-de-Bois, à Ramatuelle (Var), à propos desquelles le ministre lui-même s'est trouvé mis en cause. En réponse, le promoteur met lui-même en cause l'honnêteté du ministre. Robert Boulin critique également le juge d'instruction, lui reprochant d'avoir eu à son égard des arrière-pensées politiques.

Enfin, l'auteur de la lettre regrette amèrement d'avoir été abandonné par ses propres amis politiques, et il s'en prend plus particulièrement au garde des sceaux, « plus préoccupé, écrit-il, de sa carrière que du bon fonctionnement de la justice ».

De nombreuses réactions à la mort de Robert Boulin ont continué à s'exprimer, mercredi 31 octobre, tant dans les milieux politiques que dans les milieux syndicaux. Outre l'hommage rendu aux qualités du ministre du travail et de la participation, la plupart mettent en cause, plus ou moins directement, les articles de presse dont il a fait l'objet.

C'est ainsi qu'après la minute de silence observée mercredi matin par le conseil des ministres M. Giscard d'Estaing a parlé d'une « campagne harcelante » et a dénoncé « ces méthodes indignes de la France et de la démocratie ».

Toutefois, certaines personnalités et de nombreux éditorialistes observent que la presse ne saurait servir de bouc émissaire. M. Chaban-Delmas, qui avait parlé d'« assassinat » la veille, a estimé que, selon lui, l'assassin était « celui qui avait communiqué le dossier avec l'intention de nuire et de détruire ».

Les accusations portées par Robert Boulin dans sa lettre du 29 octobre… sentant abandonné jusque par ses amis les plus proches, montrent… participation situait les responsabilités dans la mise en cause dont il était l'objet.

Stupeur

LE suicide d'un homme politique provoque toujours une émotion, une stupeur, une inquiétude légitimes auxquelles, d'instinct, chacun s'associe, à quelque niveau qu'il se situe. Lorsque le drame se noue en même temps que des articles de journaux sont publiés, « la presse » est aussitôt mise en accusation. Si, de surcroît, d'autres « affaires » ont auparavant altéré le climat et alarmé l'opinion, l'exploitation et la confusion sont à leur comble. Ceux qui, au service du pouvoir ou non, ont sur les ondes, dans les couloirs ou les antichambres, crié « haro » sur la presse savent aujourd'hui…

1ER NOVEMBRE

L'AFFAIRE ROBERT BOULIN

Le 1er novembre, le journal *Le Monde* publie un article qui présente les éléments de la défense de Robert Boulin concernant l'acquisition illégale d'un terrain à Ramatuelle. Le dévoilement des secrets de l'instruction de cette affaire laisse froid, selon Robert Boulin, « un garde des sceaux [Alain Peyrefitte] plus préoccupé de sa carrière que du fonctionnement de la justice ».

1979

2 NOVEMBRE

MESRINE ABATTU PAR LA POLICE
Le 2 novembre, porte de Clignancourt, à Paris, le gangster Jacques Mesrine, auteur de nombreux hold-up et kidnappings depuis dix-sept ans, est abattu par la brigade antigang dans sa voiture. « L'ennemi public numéro un » avait écrit en prison son autobiographie, *L'Instinct de mort,* parue en 1977.

La cavale de Jacques Mesrine se termine le 2 novembre 1979,

1979

2 NOVEMBRE

MORT DE « L'ENNEMI PUBLIC NUMÉRO UN » PORTE DE CLIGNANCOURT

Vingt et une balles au total sont tirées sur la voiture de Jacques Mesrine. Dix-huit atteignent son corps. Sous ses pieds, il avait dissimulé des armes de poing et des grenades. Sa compagne, Sylvia Jeanjacquot, blessée dans la fusillade, perd un œil.

il meurt sous les balles, porte de Clignancourt.

1979

24 DÉCEMBRE

PREMIER VOL DE LA FUSÉE ARIANE
Le 24 décembre, sur la base de Kourou, en Guyane, la fusée Ariane 1 est lancée avec succès. Haute de 47 m, elle comporte trois étages. Elle est capable de placer des satellites d'un poids total de 1 850 kg en orbite géostationnaire.

1980

7 MARS

NAUFRAGE DU PÉTROLIER *TANIO* AU LARGE DE L'ÎLE DE BATZ
Le 7 mars, le pétrolier *Tanio,* parti d'Allemagne et qui va vers l'Italie avec 27 500 tonnes de fuel lourd, se brise en deux parties au large de l'île de Batz, au nord du Finistère.
Huit marins meurent dans la partie avant, qui coule immédiatement. La partie arrière dérive avec le reste de l'équipage, puis est remorquée jusqu'au Havre, où le fuel est pompé et traité. La pollution des côtes est limitée.

DES GONCOURT À SUCCÈS

Les frères Goncourt sont célèbres pour leur *Journal*, où ils rapportent tous les petits potins du monde littéraire au temps de Zola, Maupassant, Mallarmé…
Leurs romans n'ont aucun succès, ce qui rend leur plume souvent amère, voire acide. En 1896, Edmond de Goncourt meurt, vingt-six ans après son frère Jules. Dans son testament, Edmond demande que soit fondée la Société littéraire des Goncourt, qui devient l'Académie des Goncourt. Elle doit être composée de dix membres. Son rôle : décerner un prix annuel de 5 000 francs, somme considérable à l'époque.

LE GONCOURT : REFLET D'UNE SOCIÉTÉ ?

Les 5 000 francs du début ont été réduits, après bien des dévaluations, à… quelques

1 | LE ROI TOURNIER

EN 1968, Michel Tournier offre aux lecteurs des Goncourt *Le Roi des aulnes,* un roman magistral, foisonnant, où le temps dévore la vie, où les personnages ambigus épuisent leurs forces et leurs vices jusqu'au malaise.

2 | CARRIÈRE, *L'ÉPERVIER*

JEAN CARRIÈRE, en 1972, est couronné par le jury Goncourt pour *L'Épervier de Maheux,* roman au lyrisme puissant où les Cévennes jouent l'un des premiers rôles.

3 | GARY, LA VIE

ROMAIN GARY remporte pour la seconde fois le prix Goncourt avec *La Vie devant soi,* en 1975, alors que

1

2

le règlement l'interdit. Comment ? En prenant le pseudonyme d'Émile Ajar, pseudonyme... de son neveu.

4 | DURAS, *L'AMANT*

LE PRIX GONCOURT doit récompenser un jeune espoir de la littérature. En 1984, il est attribué, pour *L'Amant*, à Marguerite Duras, qui fête ses soixante-dix ans : l'émotion n'a pas d'âge.

5 | ORSENNA LE PICARESQUE

EN 1988, le roman *L'Exposition coloniale* d'Erik Orsenna est couronné par les jurés Goncourt : « Un faux empire, des rêves trop grands, un spectacle pour les familles », ce livre est ainsi défini par l'auteur à la veine picaresque.

euros qui sont remis à l'auteur sous la forme d'un chèque – celui-ci, en général, n'est jamais encaissé. Quel est alors l'intérêt d'obtenir le prix Goncourt ? Multipliez par 300 000 (ventes moyennes d'un bon Goncourt) les 2 euros qui reviennent à l'auteur pour chaque livre...
Les prix Goncourt reflètent-ils l'époque où ils naissent ou bien l'orientent-ils ? On ne saurait le dire, et il est bien pratique de laisser ainsi en suspens une question qui appellerait une dissertation où serait prouvé tout et son contraire. On y trouverait des Goncourt qui ont épousé leur époque, tel celui de Patrick Modiano, impressionniste, aux contours flottants et berceurs comme une aquarelle, comme la fin des années 1970, où l'on sent à la fois s'enfuir une époque et s'installer dans les tout débuts de l'âpreté une existence qui va se mettre à rêver davantage le temps enfui. On trouverait aussi celui de Yann Queffelec qui, en 1985, bouscule son lecteur avec des scènes violentes, des scènes d'abandon, de tristesse infinie, des retrouvailles, et puis la fin, qu'il faut lire, poignante, et tout cela répond peut-être en écho lointain à la décennie des années 1980, allez savoir.

LES CHAMPS D'HONNEUR DE ROUAUD

Enfin, parmi les Goncourt étonnants à cause de leur surgissement soudain dans l'atonie répétitive des fictions, celui de Jean Rouaud, le marchand de journaux sorti de son kiosque de la rue de Flandres, à Paris, et que l'on voit soudain parlant de la mémoire, de ceux qu'il a connus dans son petit bourg de Campbon en Loire-Inférieure, profils attachants et touchants, drôles, universels ; roman en ondes autour de soi, exploration du « je » entre proximité et distance qui s'assemblent, se construisent ou se dissolvent dans les souvenirs libres de toute contrainte.
Ce Goncourt oriente tout un courant de constructions romanesques, où le narrateur devient le centre de son histoire, d'entrées en « je » qui vont occuper la décennie, avec, en général, de bonnes fortunes.

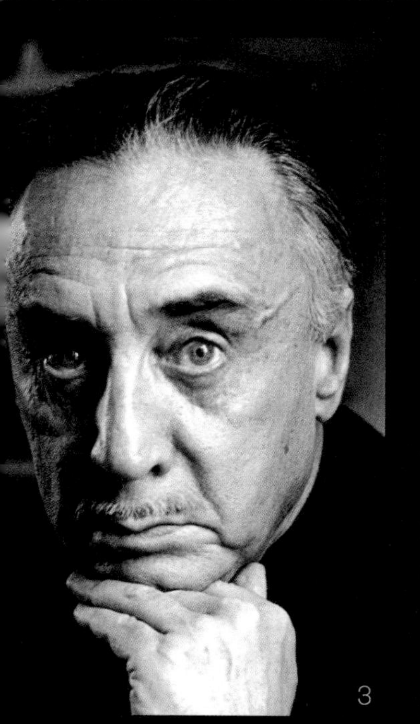
3

4

5

1980

30 OCTOBRE

COLUCHE EST CANDIDAT AUX ÉLECTIONS PRÉSIDENTIELLES

Le 30 octobre, l'humoriste provocateur Coluche, en pleine gloire médiatique, réunit pour une conférence de presse des journalistes, auxquels il annonce officiellement sa candidature à la présidence de la République. Les sondages le créditent bientôt de 16 % des voix. Le 16 mars suivant, l'aventure se termine.

1980

22 DÉCEMBRE

LE PRÉSIDENT REÇOIT MARGUERITE YOURCENAR, ÉLUE LA MÊME ANNÉE À L'ACADÉMIE FRANÇAISE

Le 6 mars, Marguerite Yourcenar, née à Bruxelles en 1903, auteur, entre autres, de *L'Œuvre au noir* en 1968 et de *Mémoires d'Hadrien* en 1951, est la première femme élue à l'Académie française. Elle est reçue sous la coupole le 22 janvier suivant par Jean d'Ormesson. La voici à l'Élysée, en compagnie du président Giscard d'Estaing.

Cette année-là aussi... Le 3 octobre, une bombe explose devant la synagogue de la rue Copernic, à Paris, provoquant la mort de 4 personnes. Les auteurs de l'attentat n'ont jamais été retrouvés.

21 MAI 1981 INVESTITURE DE FRANÇOIS MITTERRAND.

LES ANNÉES MITTERRAND

Aucune hyperbole n'est de trop lorsque François Mitterrand arrive au pouvoir. L'« état de grâce » dure trois ans, la rigueur économique finissant par s'imposer. Elle est d'autant plus difficile à faire passer que le chômage ne cesse de progresser. C'est Laurent Fabius qui est chargé de la faire admettre aux Français, avant que la droite ne revienne et que se mette en place la première cohabitation. En 1988, débute un nouvel état de grâce qui porte pour un second mandat à la présidence François Mitterrand, image de la « Fransunie ». Le rêve passe, remplacé par le RMI, la CSG, certaines affaires troubles. La seconde cohabitation achève un mandat riche en grands travaux, mais impuissant face à l'accroissement régulier du chômage.

1981

21 MAI

ÉLECTION DE FRANÇOIS MITTERRAND
Le 21 mai, après son investiture et le dépôt d'une gerbe à l'Arc de triomphe, François Mitterrand, élu président de la République avec 51,75 % des voix contre Giscard d'Estaing, descend l'avenue des Champs-Élysées en voiture.

21 MAI

FRANÇOIS MITTERRAND PLACE SON SEPTENNAT SOUS LE SIGNE DE TROIS PERSONNAGES HISTORIQUES

Dans l'après-midi du 21 mai, François Mitterrand, le nouveau président de la République, est entré seul dans le Panthéon pour y déposer trois roses : la première sur la tombe de Victor Schœlcher, qui a contribué à l'abolition de l'esclavage en 1848, la deuxième sur celle de Jean Jaurès, et la troisième sur celle de Jean Moulin. Voici Mitterrand et son entourage à la sortie du Panthéon.

18 ET 30 SEPTEMBRE

ABOLITION DE LA PEINE DE MORT
Les 18 et 30 septembre, la loi pour l'abolition de la peine de mort, proposée par Robert Badinter, est votée par l'Assemblée nationale, puis par le Sénat.

MÉDECINE ET MÉDECINS

Après des siècles d'approche empirique, de pratiques routinières et souvent désastreuses, de saignées, de clystères à tout-va, la médecine devient enfin une science efficace au XXe siècle, et sauve des millions de vies. On se dit avec quelques regrets que, découverte plus tôt, la pénicilline eût sauvé Charles Baudelaire en quinze jours, dès ses vingt ans, qu'elle eût préservé Guy de Maupassant d'horribles migraines et de paralysies ophtalmiques, qu'elle lui eût évité la folie, on imagine guéris tous les connus ou inconnus souffrant de diabète, d'ulcères, de tuberculose, tous ceux emportés par ces maladies qui foudroyaient sans espoir alors qu'aujourd'hui, dans la plupart des cas, une hospitalisation ou une médicalisation résolvent tout ou presque.

Ces victoires sont dues à la foule des chercheurs anonymes et à ceux qui ont su, avec l'aide du hasard et de leur génie de l'observation, effectuer les déductions conduisant à isoler l'agent efficace capable de soigner telle ou telle affection. C'est l'Aspirine mise au point par les laboratoires allemands Bayer et commercialisée en France en 1908 par la Société

1 | JEAN HAMBURGER
OUTRE SA CONTRIBUTION aux progrès dans les domaines des greffes de rein et de rein artificiel, Jean Hamburger est aussi l'auteur d'ouvrages sur la condition humaine. Il est reçu à l'Académie française le 18 avril 1985.

2 | JEAN DAUSSET
ICI DANS SON LABORATOIRE, le 10 novembre 1980, Jean Dausset a contribué par ses recherches sur l'immuno-hématologie à la découverte en 1958 du système HLA *(Human Leukocytes Antigens)*, d'une importance capitale pour les greffes et les transplantations.

1

2

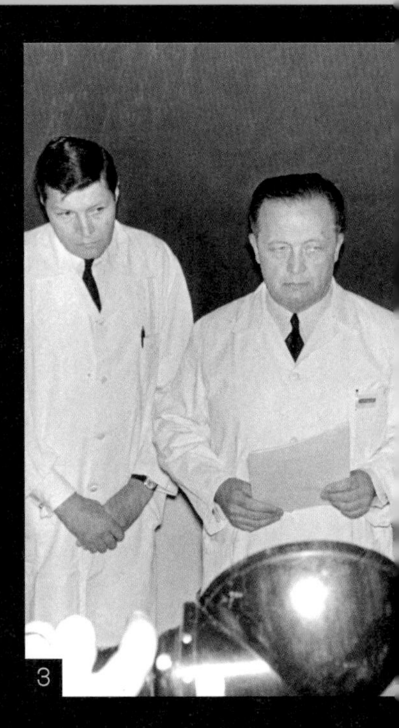
3

chimique des usines du Rhône. C'est la découverte de la pénicilline dans les années 1920 par l'Écossais Alexander Fleming (1881-1955), des sulfamides, de la streptomycine et autres antibiotiques qui ont permis et permettent toujours de lutter efficacement contre la grande famille des bactéries et microbes.

JEAN HAMBURGER GUÉRIT LES REINS

En France, Jean Hamburger, né en 1909, mort en 1992, élève de Louis-Pasteur Vallery-Radot – petit-fils de Pasteur –, crée la néphrologie. Auteur de recherches fondamentales sur l'immunologie des maladies rénales, il réalise le premier rein artificiel en 1955.

JEAN DAUSSET, L'IMMUNOLOGUE

Immunologiste, Jean Dausset, né à Toulouse en 1916, mort à Palma de Majorque en 2009, découvre en 1958 les éléments nécessaires à la compatibilité entre donneur et receveur pour une greffe d'organe. Il obtient le prix Nobel de physiologie ou médecine en 1980 avec Baruj Benacerraf et George Snell pour leurs travaux sur les structures de surface cellulaire conditionnant l'immunologie.

CHRISTIAN CABROL GREFFE LE CŒUR

Spécialisé dans la chirurgie cardiaque, Christian Cabrol est né le 16 septembre 1925 à Chézy-sur-Marne, dans l'Aisne. Il réalise la première greffe du cœur en Europe à l'hôpital de la Pitié à Paris, le 27 avril 1968. En 1982, il effectue la première transplantation cardio-pulmonaire, et, en 1986, la première implantation de cœur artificiel en France.

LUC MONTAGNIER ET LES RÉTROVIRUS

Biologiste, spécialisé en virologie, Luc Montagnier est né en 1932 à Chabris, dans l'Indre. Ses recherches le conduisent à découvrir l'existence d'un rétrovirus responsable du sida. Le 6 octobre 2008, il est lauréat du prix Nobel de physiologie ou médecine avec Françoise Barré-Sinoussi pour cette découverte capitale.

3 | CHRISTIAN CABROL

ICI À GAUCHE, Christian Cabrol a pratiqué la première greffe du cœur, avec l'aide de Gérard Giraudon (à droite). Le patient, Clovis Roblain, soixante-six ans, était camionneur.

4 | LUC MONTAGNIER

LUC MONTAGNIER à l'Institut Pasteur, à Paris, en 1983. La première description du virus du sida est publiée dans le magazine *Science* cette même année.

5 | ALEXANDER FLEMING

SA DÉCOUVERTE EN 1928 qu'une moisissure, *Penicillium notatum*, inhibe la prolifération bactérienne aboutit quelques années plus tard à la création de la pénicilline.

4

5

1982

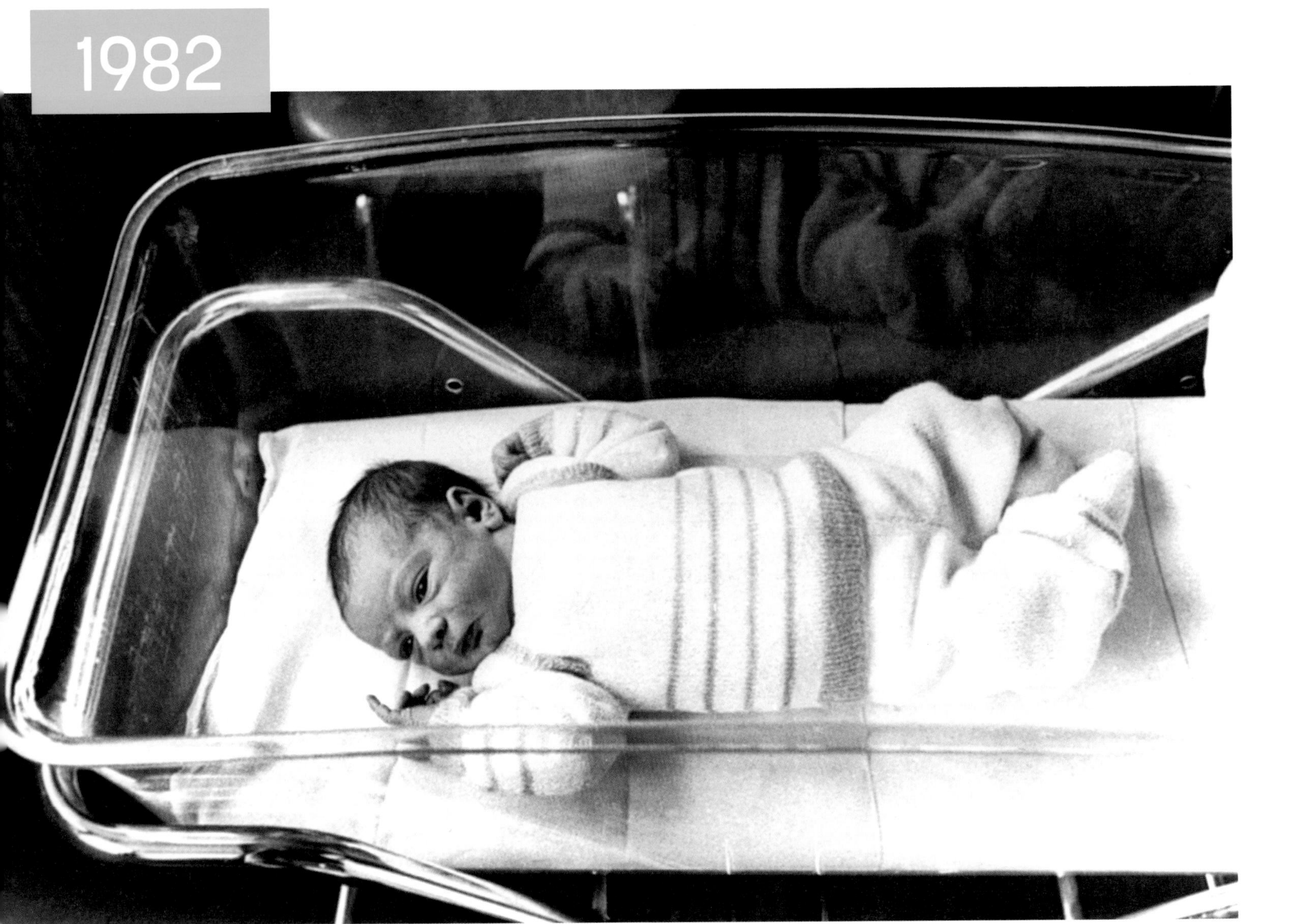

24 FÉVRIER

NAISSANCE D'AMANDINE, LE PREMIER BÉBÉ-ÉPROUVETTE
Le 24 février naît à l'hôpital Antoine-Béclère de Clamart le premier « bébé-éprouvette » en France, issu de la fécondation in vitro. La FIV est une technique de procréation assistée médicalement, l'embryon créé étant ensuite implanté dans l'utérus.

9 AOÛT

L'ATTENTAT DE LA RUE DES ROSIERS
Le 9 août, à 13 h 10, un groupe armé fait irruption dans le restaurant de Jo Goldenberg, situé dans le quartier du Marais, à Paris. L'un des hommes lance une grenade, puis le groupe sort et tire dans la foule des passants. Cet attentat odieux n'a jamais été revendiqué et pose au gouvernement de façon aiguë la question du terrorisme.

1982

27 OCTOBRE

CÉRÉMONIE EN L'HONNEUR DE PIERRE MENDÈS FRANCE
Le 18 octobre disparaît Pierre Mendès France, né à Paris en 1907. Une semaine plus tard, dans la cour du palais Bourbon, François Mitterrand rend hommage à ce penseur en politique qui a agi ou orienté nombre d'actions pendant les cinquante années de sa présence plus ou moins influente dans les sphères du pouvoir.

Cette année-là aussi... L'ordonnance sur la retraite à soixante ans et le travail à temps partiel est publiée. ... Le 31 juillet, un bus prend feu dans la région de Beaune, et 53 personnes meurent, dont 46 enfants.

2 JUIN

LÉOPOLD SÉDAR SENGHOR À L'ACADÉMIE FRANÇAISE

Le 2 juin, Léopold Sédar Senghor est élu à l'Académie française. Cet agrégé de grammaire, ancien condisciple de Georges Pompidou, élu Prince des poètes en 1978, est le premier Africain à siéger sous la coupole. Le président Mitterrand assiste à son entrée parmi les « immortels ».

1983

5 JUIN

YANNICK NOAH S'ILLUSTRE À ROLAND-GARROS
Yannick Noah remporte le tournoi de Roland-Garros devant un stade plein à craquer qui lui fait une ovation de légende après un suspense d'une rare intensité. Il a battu Ivan Lendl en quart de finale et Mats Wilander, le tenant du titre, en finale sur le score de 6-2, 7-5, 7-6.

Cette année-là aussi… Le 27 janvier, l'acteur Louis de Funès décède à Nantes. … Le nombre de chômeurs dépasse les 2 millions en France.

1984

11 MARS

GAINSBOURG PROTESTE À SA FAÇON CONTRE L'IMPOSITION

Le 11 mars, en direct à la télévision, dans l'émission « Sept sur sept », sur TF1, Serge Gainsbourg, qui veut dénoncer ce qu'il appelle le « racket fiscal », brûle un billet de 500 francs, n'en conservant qu'une infime partie afin de montrer ce qui lui reste quand il a payé ses impôts.

LES ANNÉES 1980 EN CHANSONS

«C'est la danse des canards, qui en sortant de la mare, se secouent le bas des reins et font coin-coin... » Sur ces paroles issues de plumes guillerettes, les Français se trémoussent gaiement aux fêtes et aux banquets à partir de 1980. La civilisation des loisirs s'épanouit, les Français ne travaillent plus que trente-neuf heures par semaine, ils obtiennent une cinquième semaine de congés payés. Tout cela rend le cœur d'autant plus gai que la liberté des ondes est acquise avec les radios libres. Chacun y programme la musique qu'il aime en général, y promeut les idées qu'il défend en particulier. Cependant, des grands thèmes et de grands noms s'installent pour la décennie. L'humanisme, le désir d'ailleurs, de liberté, la mélancolie, mais aussi l'envie de vivre en

1 | ATTENTION LES YEUX
MARC LAVOINE vise juste en 1985, à vingt-trois ans, avec *Elle a les yeux revolver*, qui demeure pendant vingt-sept semaines au hit-parade.

2 | MARCIA MORETTO
LES RITA MITSOUKO, Catherine Ringer et Fred Chichin, célèbrent une disparue, la danseuse argentine Marcia Moretto, en 1985, sur un rythme latino-rock, avec *Marcia baila*.

3 | JEANNE MAS
LE CHARME MYSTÉRIEUX et sombre de Jeanne Mas, qui narre sa *Toute première fois* en 1984, emporte l'adhésion de toute une jeunesse à son image.

1

2

3

harmonie avec soi-même, avec le monde... Jean-Jacques Goldman s'impose avec des mélodies qui séduisent, charment, emportent dans le tourbillon d'un rythme savamment dosé pour conduire sur les crêtes les plus endiablées de la danse, ou bien vers de tendres mélancolies. *Il suffira d'un signe* (1981), *Quand la musique est bonne* (1982), *Envole-moi* (1984), *Je marche seul, Pas toi* (1986), *Là-bas, Elle a fait un bébé toute seule* (1987)...

CHANSONS FÉMININES

« Femmes, je vous aime », chante Julien Clerc en 1982. Aime-t-il Lio, fausse ingénue, Lolita gourmande avec son *Banana Split* (1979)? Est-il séduit par Rose Laurens et son *Africa* ou son *Roi fou,* en 1982? S'amuse-t-il des mélodies de Dorothée qui crie « Hou la menteuse » en 1983, et distrait les enfants? Succombe-t-il au charme sombre de Jeanne Mas qui narre sa *Toute première fois* en 1984 ? À celui de Catherine Lara, à son violon de *Rockeuse de diamants* (1984)? Préfère-t-il Mylène Farmer qui s'affirme *Libertine* et *Sans contrefaçon* en 1988? Écoute-t-il Elsa qui supplie, à 13 ans, *T'en va pas* (1987), disque vendu à plus de 1 million d'exemplaires? Chantonne-t-il la même année « Étienne, Étienne, oh tiens-le bien... » de Guesh Patti? Passe-t-il l'été de cette année-là aussi à écouter Vanessa Paradis qui parade avec *Joe le taxi* sur toutes les radios et à la télévision, où l'invite Jean-Pierre Foucault? Chante-t-il avec Linda de Suza, arrivée du Portugal avec sa valise en carton « Tirelireli, tirelirela » en 1984?

REFRAINS INOUBLIABLES

Et les hommes? À soixante ans, en 1981, Yves Montand fait un triomphe à l'Olympia. Hervé Cristiani assure qu'« il est libre, Max » (1982). Charlélie Couture survole l'époque « comme un avion sans ailes » (1981). Jean-Luc Lahaye, enfant de la DDASS, interprète *Papa chanteur* en 1985. Jean-Pierre Mader tente et réussit le cocktail tango, salsa et informatique dans *Macumba* en 1985.

4 | JEAN-JACQUES GOLDMAN
AUTEUR, COMPOSITEUR, INTERPRÈTE, Jean-Jacques Goldman, chanteur phare des années 1980, a composé pour de nombreux autres artistes...

5 | DAHO POP
ÉTIENNE DAHO avec *Tombé pour la France* en 1985, *Pour nos vies martiennes* en 1988, *Bleu comme toi* ou *Winter Blue* est un représentant majeur de la pop music.

6 | NOSTALGIE DES CORONS
PIERRE BACHELET chante sa nostalgie du Nord des mines *Les Corons* (1982), il émeut avec *Marionnettiste* en 1985, et s'interroge en chantant *En l'an 2001.*

4 5

6

1984

24 JUIN

MANIFESTATION EN FAVEUR DE L'ÉCOLE LIBRE
Le 24 juin, plus de 1 million de personnes défilent à Paris pour la défense de l'école privée, que le projet de loi déposé par le ministre de l'Éducation nationale Alain Savary prévoyait d'intégrer dans un « grand service public ».

5 NOVEMBRE

BERNARD LAROCHE, INCULPÉ DU MEURTRE DU PETIT GRÉGORY VILLEMIN
Le 16 octobre, le corps du petit Grégory Villemin, quatre ans, est retrouvé dans la Vologne. Un « corbeau » non identifié revendique ce meurtre par lettre anonyme. Le 5 novembre, Bernard Laroche, cousin germain de Jean-Marie Villemin, le père de Grégory, est inculpé et incarcéré. Remis en liberté, il est abattu par Jean-Marie Villemin le 29 mars suivant. L'énigme demeure.

NUCLEAR FREE PACIFIC

1985

10 JUILLET

LE *RAINBOW WARRIOR* COULÉ PAR LA DGSE

Le 10 juillet, le *Rainbow Warrior,* navire du mouvement écologiste Greenpeace qui préparait une campagne contre les essais nucléaires dans le Pacifique, est coulé par une équipe du contre-espionnage français alors qu'il se trouvait à quai à Auckland, en Nouvelle-Zélande. Un photographe, Fernando Pereira, est tué dans cet attentat.

1985

DÉCEMBRE

COLUCHE S'ENGAGE EN FAVEUR DES EXCLUS EN CRÉANT LES RESTOS DU CŒUR

Révolté par la misère qui ne cesse de croître et qui contraste avec le gaspillage lié à la société de consommation, Coluche crée pour les exclus les Restaurants du cœur, dont le premier ouvre ses portes le 21 décembre. Ces restaurants bénéficient, entre autres, du soutien des artistes de variétés.

Cette année-là aussi... Le 14 janvier, alors qu'il accompagne le Paris-Dakar en tant qu'ambassadeur de l'action humanitaire des paris du cœur, Daniel Balavoine meurt dans un accident d'hélicoptère au Mali.

1986

MAI

APRÈS LA CATASTROPHE DE TCHERNOBYL, UN NUAGE RADIOACTIF DÉRIVE SUR LA FRANCE

Le 26 avril, l'augmentation incontrôlée d'un réacteur nucléaire dans la centrale de Tchernobyl provoque son explosion et libère dans l'atmosphère un important nuage radioactif, qui dérive notamment vers la France. Mais les autorités de l'époque assurent qu'il n'a pas franchi les frontières, ce que semble ne pas croire, avec raison, cet agriculteur.

Cette année-là aussi... Le 8 mars, une équipe de journalistes d'Antenne 2 composée de Philippe Rochot, Georges Hansen, Aurel Cornéa et Jean-Louis Normandin est enlevée par le Djihad islamique à Beyrouth.

1986

17 SEPTEMBRE

ATTENTAT DEVANT LE MAGASIN TATI, RUE DE RENNES

Du 4 au 17 septembre, une vague d'attentats fait 11 victimes à Paris. Le plus grave, qui fait 7 morts, est commis rue de Rennes, devant le magasin Tati, près de la Fnac. Ces attentats sont revendiqués par des terroristes qui veulent obtenir la libération de leur chef libanais Georges Ibrahim Abdallah, détenu en France.

Cette année-là aussi... Le 20 mars commence la première cohabitation de la Vᵉ république : François Mitterrand désigne Jacques Chirac comme Premier ministre. **...** Le 19 juin, Coluche meurt dans un accident de moto à Opio, dans les Alpes-Maritimes, à quarante et un ans. **...** Le 13 novembre, l'humoriste Thierry Le Luron meurt à Boulogne-Billancourt, à trente-quatre ans.

1986

4 DÉCEMBRE

MANIFESTATION ÉTUDIANTE CONTRE LE PROJET DE LOI DEVAQUET
Le projet de réforme universitaire présenté par le ministre délégué à l'Enseignement supérieur Alain Devaquet déclenche un mouvement étudiant d'une ampleur soudaine. Cette réforme prévoyait une sélection des étudiants à l'entrée des universités et leur mise en concurrence.

10 DÉCEMBRE

LA FOULE SE RÉUNIT EN HOMMAGE À MALIK OUSSEKINE
Le 6 décembre, un étudiant, Malik Oussekine, meurt au cours d'une nouvelle et violente manifestation contre le projet Devaquet, qui est retiré trois jours plus tard.

1987

ASSEMBLAGE DE L'AIRBUS A 320
Le 22 février, au-dessus de Toulouse, le premier Airbus A 320 effectue son premier vol, qui dure 1 minute et 18 secondes. Ce biréacteur moyen-courrier est à la pointe de la modernité avec ses nombreux ordinateurs qui permettent le pilotage à deux, et non plus à trois personnes. Il entre en service l'année suivante.

1987

11 MAI

PROCÈS DE KLAUS BARBIE
Le 11 mai s'ouvre, à Lyon, le procès de Klaus Barbie pour crimes contre l'humanité. Au cours du procès sont évoqués l'arrestation, la torture et la disparition de Jean Moulin, et la déportation des enfants d'Izieu vers les camps d'extermination dont aucun n'est revenu. Barbie, en haut à gauche, défendu par Jacques Vergès, au centre, est condamné à la réclusion perpétuelle. Il meurt en 1991.

1988

26 FÉVRIER

LA PYRAMIDE DU LOUVRE EN CONSTRUCTION
Conçue par l'architecte sino-américain Ieoh Ming Pei, la pyramide du Louvre, dont la construction a commencé deux ans plus tôt, est presque terminée lorsque cette photo est prise, le 26 février. Elle sera inaugurée le 30 mars de l'année suivante par François Mitterrand, et ouverte au public le 1er avril.

1988

5 MAI

LIBÉRATION DE JEAN-PAUL KAUFMANN, DE MARCEL CARTON ET DE MARCEL FONTAINE APRÈS TROIS ANS DE CAPTIVITÉ

Le 5 mai, à 10 h 30, les trois derniers otages français au Liban, Jean-Paul Kaufmann, Marcel Carton et Marcel Fontaine, libérés la veille à Beyrouth, atterrissent à l'aéroport de Villacoublay, accueillis par Jacques Chirac et Charles Pasqua. Après trois ans de captivité, ils retrouvent leur famille. Hélas, le chercheur Michel Seurat, qui faisait partie des otages, ne reverra pas la sienne : il est mort en captivité deux ans plus tôt.

Cette année-là aussi... Le 18 avril, l'humoriste Pierre Desproges meurt d'un cancer à quarante-huit ans. ... Le 27 juin, un train en percute un autre en gare de Lyon ; 56 personnes trouvent la mort dans cet accident. ... Le 1er décembre est mis en place le RMI, Revenu minimum d'insertion.

1988

8 MAI

MITTERRAND RÉÉLU
Le 8 mai, au second tour des élections présidentielles, François Mitterrand est réélu avec 54 % des voix contre Jacques Chirac. Le voici, à 20 h 40, acclamé dans le hall de l'Hôtel de Ville de Château-Chinon, alors qu'il s'apprête à faire la première déclaration de son nouveau mandat. Michel Rocard est nommé Premier ministre le 11 mai.

« GÉNÉRATION MITTERRAND »
C'est le slogan choisi par Jacques Séguéla pour la seconde campagne présidentielle de François Mitterrand. La première reposait sur le rassurant et placide « La Force tranquille ». « Génération Mitterrand », dont l'interprétation est ouverte, au point qu'on peut en perdre la perspective, rassemble les forces vives prêtes à l'action, préparées par le précédent septennat, et, finalement, tout le monde.

1989

14 JUILLET

BICENTENAIRE DE LA RÉVOLUTION FRANÇAISE

On voit ici un commerçant de la rue Saint-Antoine qui porte le pantalon tricolore et le bonnet phrygien des sans-culottes à l'occasion des festivités organisées, du 8 au 14 juillet, pour la célébration du bicentenaire de la Révolution. Le 14 juillet, sur les Champs-Élysées, un défilé télévisé imaginé et organisé par le publicitaire Jean-Paul Goude rassemble 1 million de personnes, et plusieurs centaines de millions dans le monde.

Cette année-là aussi... Le 4 mai, le président du FLNKS, Jean-Marie Tjibaou, est assassiné dans l'île d'Ouvéa en Nouvelle-Calédonie par des extrémistes kanaks. ... Le 3 octobre est créée la CSG, contribution sociale généralisée.

14 JUILLET 1989 DÉFILÉ DU BICENTENAIRE DE LA RÉVOLUTION.

1990

1ER DÉCEMBRE

JONCTION DANS LE TUNNEL SOUS LA MANCHE

Le 1er décembre, deux ingénieurs, l'un anglais, Graham Fagg, l'autre français, Philippe Cozette, concrétisent la percée du tunnel sous la Manche en dégageant suffisamment de terre et de roches pour se serrer la main et échanger les drapeaux de leurs pays. Commencés en 1987, les travaux durent jusqu'en 1993, mobilisant 12 000 personnes en permanence.

1991

25 AVRIL

L'AFFAIRE DU SANG CONTAMINÉ ÉCLATE AU GRAND JOUR

Le 25 avril paraît dans un hebdomadaire une information largement reprise par tous les médias : en 1984, on apprend dans les hautes sphères décisionnelles de la Santé que le sang destiné aux transfusions est contaminé par le virus du sida. Faute de moyens financiers pour le traiter, sa distribution continue malgré tout jusqu'en 1986. Plus de 2 000 hémophiles sont contaminés. Un procès contre les responsables a lieu en 1999.

Cette année-là aussi... Le chanteur-compositeur Serge Gainsbourg meurt le 2 mars. **...** Le 21 novembre, Gérard d'Aboville achève sa traversée du Pacifique à la rame.

15 MAI

ÉDITH CRESSON, PREMIÈRE FEMME À MATIGNON

Michel Rocard ayant démissionné, François Mitterrand le remplace, le 15 mai 1991, par la première femme à occuper le rôle de chef de gouvernement : Édith Cresson. Onze mois plus tard, le 2 avril 1992, n'ayant pas réussi à s'imposer face à une présence masculine en majorité hostile, elle démissionne. Elle est remplacée par Pierre Bérégovoy.

17 MAI

PREMIER CONSEIL DES MINISTRES DU GOUVERNEMENT CRESSON

Le 17 mai, le gouvernement d'Édith Cresson est au complet. Pierre Joxe est à la Défense, Martine Aubry au Travail et à l'Emploi, Dominique Strauss-Kahn à l'Industrie et au Commerce extérieur, Lionel Jospin demeure à l'Éducation nationale, Pierre Bérégovoy aux Finances, Roland Dumas aux Affaires étrangères, Jack Lang à la Culture.

1992

8 FÉVRIER

CÉRÉMONIE D'OUVERTURE D'ENVERGURE AUX JEUX D'ALBERTVILLE

Du 8 au 23 février, se déroulent à Albertville, en Savoie, les XVIe jeux Olympiques d'hiver. Les cérémonies d'ouverture et de clôture sont confiées à Philippe Decouflé, qui inscrit le style de ses chorégraphies dans le sillage de celui que Jean-Paul Goude avait choisi pour le bicentenaire de la Révolution.

1992

12 AVRIL

INAUGURATION D'EURODISNEY À MARNE-LA-VALLÉE

Le 12 avril, sur des commentaires de Jean-Pierre Foucault en mondovision, Eurodisney ouvre ses portes en direct pour des millions de téléspectateurs. Ce complexe de loisirs, desservi par le TGV et le RER, s'étend sur plus de 2 000 hectares à Marne-la-Vallée.

1992

16 SEPTEMBRE

MICHEL ROCARD DIT « OUI » AU TRAITÉ DE MAASTRICHT
Le 20 septembre, se déroule le référendum sur le traité de Maastricht. Les 51,05 % de « oui » sont jugés timides par rapport à l'adhésion enthousiaste et presque générale des partis politiques. On voit ici Michel Rocard en meeting, le 16 septembre, affirmant son « oui » au traité.

22 SEPTEMBRE

INONDATIONS DANS LE VAUCLUSE

Le 22 septembre, l'Ouvèze, rivière qui traverse Vaison-la-Romaine, dans le Vaucluse, sort de son lit de façon soudaine et spectaculaire après des pluies diluviennes qui se sont abattues sur la région. Cette crue dévastatrice provoque la mort de 37 personnes, auxquelles s'ajoutent 5 disparus.

Cette année-là aussi... Une tribune du stade Armand-Cesari de Furiani, en Corse, s'effondre lors de la demi-finale de la Coupe de France de football, faisant 18 morts et plus de 2 000 blessés.

22 SEPTEMBRE 1992 À 16 HEURES, UN TORRENT DE BOUE ENVAHIT VAISON-LA-ROMAINE.

1993

DÉVELOPPEMENT DU RÉSEAU DE TÉLÉPHONES PORTABLES BI-BOP
À mi-chemin entre le téléphone portable et la cabine téléphonique, le Bi-Bop a fait son apparition en 1991. Ce téléphone permet de se connecter au réseau par l'intermédiaire de bornes émettrices d'une portée de 300 mètres, fixées dans certaines rues. La concurrence du téléphone portable GSM lui est fatale. Il disparaît en 1997.

Cette année-là aussi…
Le 29 mars, la deuxième cohabitation commence. François Mitterrand charge Édouard Balladur de composer le nouveau gouvernement. … Le 8 juin, René Bousquet, qui fut, entre autres, secrétaire général de la police de Vichy, est assassiné à son domicile par un déséquilibré mental.

1994

MARS

MANIFESTATION CONTRE LE CIP

En mars, les lycéens et étudiants manifestent dans toute la France contre le projet du Premier ministre Édouard Balladur, qui propose un « Contrat d'insertion professionnelle », le CIP, permettant de rétribuer un jeune embauché à 80 % du SMIC. Devant l'ampleur du mouvement, le projet est retiré le 30 mars.

26 DÉCEMBRE

DÉTOURNEMENT D'UN AIRBUS

Le 24 décembre, quatre membres du GIA, le Groupe islamique armé, prennent en otage les passagers et membres d'équipage d'un vol Air France reliant Alger à Paris. Après deux jours de négociations, le GIGN force les portes de l'Airbus A300 le 26 en fin d'après-midi. Les terroristes sont tués ; 11 membres du GIGN, 13 passagers et 3 membres d'équipage sont blessés.

Cette année-là aussi... Inauguré le 6 mai par la reine Élisabeth II et François Mitterrand, le tunnel sous la Manche est ouvert au public le 19 mai.

12 JUILLET 1998 VICTOIRE DE LA FRANCE À LA COUPE DU MONDE DE FOOTBALL.

À L'ORÉE DU MILLÉNAIRE

Élu président de la République, Jacques Chirac nomme Alain Juppé Premier ministre. Le coup d'envoi de réformes importantes va être donné, provoquant de nombreux mouvements sociaux. En 1997, la dissolution de l'Assemblée nationale ouvre une période de cohabitation de cinq années. La gauche plurielle de Lionel Jospin, nouveau Premier ministre, est celle de la croissance, qui culmine en 2000 à 3,9 %. Pour créer des emplois, dans une logique de partage du temps de travail, la loi Aubry sur les trente-cinq heures hebdomadaires, votée en 1998, entre en vigueur deux ans plus tard. Le dernier lustre du XXe siècle se termine sur l'espoir que ce partage du temps peut endiguer et peut-être vaincre le chômage.

1995

7 MAI

JACQUES CHIRAC EST ÉLU À LA PRÉSIDENCE

Le 7 mai, Jacques Chirac est élu président de la République avec 52,64 % des suffrages, contre 47,36 % à Lionel Jospin. Le pourcentage des abstentionnistes s'élève à 20,33 %. Pour célébrer cette élection, la foule se rassemble sur la place de la Concorde.

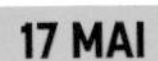
17 MAI

JACQUES CHIRAC SUCCÈDE À FRANÇOIS MITTERRAND

Le 17 mai a lieu la passation des pouvoirs entre François Mitterrand et le nouveau président Jacques Chirac, qui a démissionné la veille de ses fonctions de maire de Paris, mais demeure conseiller municipal. Le lendemain, Alain Juppé est nommé Premier ministre.

25 JUILLET

ATTENTAT DANS LE RER B À SAINT-MICHEL

Le 25 juillet, une bombe explose à la station RER Saint-Michel. Cet attentat fait 8 morts et plus de 100 blessés. Le 17 août suivant, une bonbonne de gaz entourée de clous et de ferraille explose dans une poubelle près de l'Arc de triomphe. Ces attentats sont revendiqués par le GIA, le Groupe islamique armé.

Cette année-là aussi... Le 20 janvier est inauguré le pont de Normandie, long de 2 141 mètres ; il relie Le Havre à Honfleur. ... Le 22 mai, Jean Tiberi remplace Jacques Chirac à la mairie de Paris.

1996

11 JANVIER

OBSÈQUES DE FRANÇOIS MITTERRAND

Le 11 janvier ont lieu les obsèques de François Mitterrand, décédé le 8. Soixante-dix chefs d'État assistent à la cérémonie célébrée à Notre-Dame de Paris. À Jarnac ont lieu les obsèques religieuses privées. Danièle Mitterrand marche en tête du cortège avec son fils Jean-Christophe. Derrière elle, on aperçoit Mazarine Pingeot, fille de l'ancien président.

1996

16 JANVIER

LE SCANDALE DES RÉVÉLATIONS DU MÉDECIN DE FRANÇOIS MITTERRAND

Le 16 janvier est publié le livre du médecin personnel de François Mitterrand, *Le Grand Secret*. On y apprend que le cancer de la prostate dont souffrait le président avait été décelé six mois après sa prise de fonction, en 1981. L'auteur de cet ouvrage, dont 40 000 exemplaires sont vendus le jour de sa sortie, est condamné pour violation du secret médical et radié de l'Ordre des médecins.

1996

20 SEPTEMBRE

VISITE DU PAPE JEAN-PAUL II EN FRANCE
Du 19 au 22 septembre, le pape Jean-Paul II effectue son cinquième voyage en France. Il préside les cérémonies du 1 500e anniversaire du baptême de Clovis. Le voici dans sa papamobile, entouré de la foule, lors de son étape à Sainte-Anne-d'Auray.

A 53

1997

4 AOÛT

JEANNE CALMENT DÉCÈDE À CENT VINGT-DEUX ANS

Le 4 août 1997, Jeanne Calment, doyenne de l'humanité, décède à l'âge de cent vingt-deux ans. Elle était née le 22 février 1875. Dans le magasin de couleurs que tenait son père à Arles, elle se rappelle avoir vu Vincent Van Gogh. En 1996, à cent vingt et un ans, elle avait enregistré son premier CD, *La Farandole,* sur un rythme de rap. Elle y chantait : « Je suis une gamine finie ! »

Cette année-là aussi... Le 31 août, Lady Di meurt dans un accident de voiture à Paris. **...** Le 8 novembre, la conscription est supprimée en France pour tous les jeunes nés après 1979. Elle est remplacée par la Journée d'appel de préparation à la défense.

1998

2 AVRIL

CONDAMNATION DE MAURICE PAPON À L'ISSUE DE SON PROCÈS

Le 2 avril, Maurice Papon est condamné pour complicité de crimes contre l'humanité à dix ans de réclusion criminelle et autant d'années de privation de ses droits civiques. Secrétaire général de la préfecture de Gironde de 1942 à 1944, il avait signé les documents permettant la déportation de centaines de Juifs vers les camps de la mort.

Cette année-là aussi... Le plus grand stade français, le Stade de France, est inauguré le 28 janvier par le président de la République Jacques Chirac, avant le match amical France-Espagne, gagné par... la France sur le score de 1 à 0.

1998

12 JUILLET

FINALE DE LA COUPE DU MONDE DE FOOTBALL
Lors de la finale de la Coupe du monde de football qui oppose la France au Brésil, Zinedine Zidane, l'homme du match, marque deux buts sur les trois de la victoire (3-0).

12 JUILLET

LA FRANCE REMPORTE LA COUPE DU MONDE DE FOOTBALL
Dans le grand Stade de France, à l'issue de la finale de la Coupe du monde, le président de la République, Jacques Chirac, laisse éclater sa joie, entre le prince Albert de Monaco et Lionel Jospin.

La victoire de la coupe du monde de football

12 JUILLET

APRÈS LA FINALE, LA FOULE VIENT CÉLÉBRER LA VICTOIRE SUR LES CHAMPS-ÉLYSÉES
C'est une immense marée humaine qui envahit les Champs-Élysées au soir de la victoire de l'équipe de France. Zinedine Zidane est à l'honneur : son nom – son diminutif affectueux, Zizou – figure au sommet de l'Arc de triomphe ! Les Bleus sont au sommet de la gloire.

Cette année-là aussi... Le 7 janvier, le film *Titanic,* qui a coûté 200 millions de dollars, sort sur les écrans français trois semaines après sa sortie américaine. **...** Le 13 juin, la loi sur les trente-cinq heures de Martine Aubry, ministre de l'Emploi et de la Solidarité, est adoptée.

restera un moment de joie inoubliable pour les Français.

VINGT ANS DE FILMS À GRAND SUCCÈS

Comédie romantique, souriante, attachante, un brin nostalgique, pleine d'une lumière claire sur une belle histoire rythmée qui s'endiable juste ce qu'il faut, *La Boum* de Claude Pinoteau emballe 4 millions de spectateurs en ce début des années 1980. C'est la première apparition à l'écran de Sophie Marceau, qui n'a pas encore quinze ans mais possède déjà un potentiel de grâce, de charme et d'énergie qui va lui assurer une belle carrière. À ses côtés, un couple reflète une classe sociale aisée bienvenue dans ces années où tous les espoirs sont permis : Claude Brasseur, le dentiste, Brigitte Fossey, la dessinatrice de bande dessinée, très occupés par leur carrière ; ils laissent à la grand-mère de service, Denise Grey en craquante Poupette, le soin de recueillir les confidences des premiers troubles amoureux de leur fille. Le scénario aux mille rebondissements et quiproquos témoigne d'une époque où l'on aime les vraies histoires, construites, charpentées, drôles, fertiles en surprises.

Grave, sombre, presque sinistre, la mine de Coluche dans le rôle de Lambert, pompiste de nuit alcoolique dans le film de Claude Berri *Tchao Pantin* (1983). Réalisme cru, autre versant d'une époque qui s'enlise et s'englue

1 | TRUFFAUT DANS LES SOUS-SOLS

1980 : du Truffaut ! Du François Truffaut, du vrai, du grand et de l'excellent, dans *Le Dernier Métro*, avec Catherine Deneuve, Gérard Depardieu. Marion Steiner retrouve chaque soir son mari Lucas, Juif allemand parti loin fuir les nazis… dans les sous-sols de leur théâtre.

2 | ZIDI ET L'OPTIMISME

EN 1984, Claude Zidi, le marchand d'optimisme, le livreur de sourires, l'abonné aux grands, aux immenses succès, nous amuse et nous distrait en nous invitant avec Philippe Noiret et Thierry Lhermitte dans *Les Ripoux*, irrésistibles.

1 2

dans la drogue, les trafics avec leurs cadavres au bord des trottoirs, dans le petit matin blême.

LES CHEFS-D'ŒUVRE DE CLAUDE BERRI

Nostalgie... Pagnol, nous voici ! La Provence et ses cigales, Yves Montand en Papet, Daniel Auteuil en Galinette, Gérard Depardieu en Jean de Florette... Claude Berri nous sort de son univers de pompiste de nuit pour nous emmener dans la magie du Sud, au temps où l'eau fraîche n'avait pas encore rencontré l'amour, mais tout y conduit, et Manon des sources va venger son bon père, désespérer Ugolin le méchant, et récompenser l'honnête instituteur, Hyppolite Girardot. Tout est bien qui finit bien dans ce monde séduisant comme les contes pour enfants. Ces deux films de Claude Berri sont sortis en 1986.

À COUPER LE SOUFFLE !

Le Grand Bleu de Luc Besson se regarde en retenant sa respiration. La vie d'aventure de l'apnéiste Jacques Mayol y est librement adaptée, interprétée, elle devient légende fascinante où l'amour et la mort se défient pour un dénouement bouleversant, le *« Go and see, my love »,* de Rosanna Arquette à Jean-Marc Barr (Jacques), épuisé par son combat avec Jean Reno (Enzo), sur une musique d'Éric Serra, magique, empruntée aux profondeurs et aux mystères des océans. Du rêve et de l'évasion pour cette fin de décennie incertaine.

Musique, avec Alain Corneau ! Pascal Quignard fournit le texte de son roman *Tous les matins du monde,* et nous voici, en 1991, aux côtés de Marin Marais (Gérard Depardieu, et, jeune, son fils Guillaume), M. de Sainte-Colombe (Jean-Pierre Marielle), sa fille Madeleine, (Anne Brochet)... Nous voici dans l'austère réflexion sur la musique, dans le questionnement sur la mort, dans le vertige du temps. Histoire aussi, *Ridicule,* en 1996, de Patrice Leconte avec Bernard Giraudeau, Charles Berling, Fanny Ardant, où l'on voit s'avancer à grands pas la Révolution de 1789.

3 | ANNAUD AU MONASTÈRE

ON NE RIT PAS dans *Le Nom de la rose,* de Jean-Jacques Annaud, en 1986. On ne rit pas, mais on ne s'ennuie pas dans cette enquête trouble, cette plongée vers un Moyen Âge entre raison et folie.

4 | POIRÉ EXPLORE LE TEMPS

ILS SURGISSENT d'un Moyen Âge de fantaisie, avec un langage qui ne l'est pas moins, mais on les aime tant ils nous font rire... *Les Visiteurs* sortent en 1993.

5 | BERBÉRIAN RASSURE

EN 1994, *La Cité de la peur,* d'Alain Berbérian, avec Alain Chabat, Dominique Farrugia et Chantal Lauby, rassure, le cinéma sait encore étonner.

3

4

5

1999

24 MARS

INCENDIE DANS LE TUNNEL DU MONT-BLANC
Vers 11 h, le 24 mars, un camion frigorifique prend feu dans le tunnel du Mont-Blanc. Un violent incendie se déclare, provoquant la mort de 39 personnes. Cette tragédie entraîne la fermeture du tunnel, qui ne rouvrira qu'en 2002.

1999

DÉCEMBRE

NAUFRAGE DE L'*ERIKA*
Le 12 décembre, l'*Erika*, un pétrolier transportant 37 000 tonnes de fuel lourd et provenant de Dunkerque à destination de Livourne, en Italie, fait naufrage au large du Finistère. Le bateau coule, mais sa cargaison va s'échapper peu à peu au fil des jours par les fissures de la coque, provoquant une marée noire très importante qui va souiller 400 kilomètres de côtes.

DÉCEMBRE

CONSÉQUENCES DE LA MARÉE NOIRE CAUSÉE PAR L'*ERIKA*
Piégés par le fuel à l'importante toxicité, les oiseaux font partie des nombreuses victimes de la catastrophe. Malgré les efforts fournis par ceux qui tentent de les sauver, ils sont plus de 300 000 qui meurent englués après des heures ou des jours d'agonie.

1999

26-28 DÉCEMBRE

LA FRANCE EST DÉVASTÉE PAR DEUX CYCLONES

Les 26, 27 et 28 décembre, deux cyclones traversent la France d'ouest en est et poursuivent leurs dévastations dans les pays voisins, causant des dégâts considérables dans les campagnes et les villes. Quatre-vingt-douze personnes y laissent la vie en Europe. Les anémomètres relèvent une vitesse de 198 km/h sur l'île d'Oléron, de 194 km/h à Royan, de 173 km/h à Saint-Brieuc, de 169 km/h à Paris.

26-28 DÉCEMBRE 1999 LE BOIS DE VINCENNES N'A PAS RÉSISTÉ AUX ASSAUTS DE LA TEMPÊTE DÉCHAÎNÉE.

1999

31 DÉCEMBRE

LA FRANCE FÊTE LE PASSAGE À L'AN 2000

Le 31 décembre, alors que le xxe siècle et le millénaire ne se terminent qu'un an plus tard, tout le monde célèbre comme un événement exceptionnel le passage à l'an 2000, signe arithmétique d'un plongeon vers mille autres années dont personne ne peut dire si elles seront meilleures ou pires que celles qui viennent de passer.

2000

25 JUILLET

UN CONCORDE S'ÉCRASE QUELQUES MINUTES SEULEMENT APRÈS SON DÉCOLLAGE

Le 25 juillet, à 14 h 42, l'avion supersonique Concorde décolle de Roissy avec, à son bord, 100 passagers et 9 membres d'équipage. Des réservoirs fissurés ou fracturés s'échappe du kérosène, qui s'enflamme. Trois minutes plus tard, le Concorde s'écrase sur un hôtel à Gonesse. Il n'y a aucun survivant. Dans l'hôtel, le crash fait 4 morts et 6 blessés.

Cette année-là aussi... Le 24 septembre, le « oui » l'emporte lors du référendum sur la réduction à cinq ans du mandat présidentiel, mais 70 % des électeurs s'abstiennent de voter.

INDEX

CRÉDITS PHOTOGRAPHIQUES

AGENCE GAMMA-RAPHO-KEYSTONE :

Gamma :

p. 20, 46, 122 (Marc Gantier), 48-49 (5561/Archives Renault), 54, 130 (IWM/Camerapress), 108 (2) (2451/Archives de Consuelo de Saint Exupéry), 118 (2), 250 (Stills), 118 (3) (S010/Collection Franck Fernandel), 154 b (Bassignac-Turpin), 165 (Collection Claude François), 172, 183 b (US Army/UPI), 224-225 (Emmaüs international), 226, 227 (Collection Jean-Claude Labbe), 232, 235 h, 259, 268, 273, 274 (2), 275 (5), 281 (Reporters associés), 239 (5) (Alain Denantes), 242 (André Ostier/RBO/Camerapress), 274 (1) (Collection privée d'André Verchuren), 274 (3) (Issaris Press Agency), 286 (2) (Gérard Leroux), 287 (3), 287 (4), 302-303 (Jean-Pierre Rey), 291 b (André Sas), 293 (5) (Quinio/Stills), 297 (François Richard/Gamma), 308, 317 (5) (Daniel Simon), 309, 323 h (Gilbert Uzan), 313 b, 318 h (Michel Artault), 314 (Michel Ginfray), 316 (1) (Photo News), 316 (2) (Botti/Stills), 319 (Jean-Pierre Tartrat), 323 b (Robert Gernot), 328-329 (Xavier Testelin), 334 (Ghislaine Morel), 335 (Alain Mingam), 336 (1) (Pierre Lelièvre), 336 (2) (Louis Monier), 337 (3) (Ulf Andersen), 337 (4) (Hélène Bamberger), 337 (5) (Frédéric Reglain), 338, 397 (4) (Bertrand Laforet), 339 (Thierry Campion), 340 (1981/Gamma), 345 (Bernard Charlon), 347 (5) (Yousuf Karsh/Camerapress), 348, 390-391 (François Lochon), 349 (Campion-Sola), 352 (Mingam-Simon), 354 (1) (Alain Benainous), 354 (2) (Vincent/Stills), 354 (3) Hervé Tardy), 355 (4) (Jean-Claude Dupin/Stills), 355 (5) (Young Russell/Stills), 355 (6) (Patrick Aventurier), 357 (Philippe Lemire), 360, 374, 375 h, 378 (Alexis Duclos), 361 (Duclos-Gutekunst-Lambert), 362 (Gaillarde-Maous-Sola), 363 h (Aventurier-Duclos-Simon), 366 (Raphaël Gaillarde), 367 (Georges Merillon), 368 b, 384, 386 h, 400 h, 400 b (Gilles Bassignac), 372-373 (Bassignac-Deville-Gaillarde), 375 b (Merillon-Stevens-Turpin), 377 (Apesteguy-Reglain-Stevens), 379 (Chardon-Martins), 382 (Frédéric Reglain), 383 h (Marc Deville), 383 b (William Stevens), 387 (Bertrand Soubeyrand), 389 (Jean-Michel Turpin), 392 (Robert Ricci), 393 (Raze), 395 (Deville-Duclos), 396 (2) (Jacques Prayer), 397 (5) (Picot-Arnal-Victor/Stills), 398-399 (Pierre Monin), 401, 405 (Éric Bouvet), 402-403 (Fenwick), 404 (Pascal Tournaire), 82, 292 (1), 351, 356, 358-359, 365, 368 h, 370-371, 376, 380-381, 386 b, 388, 394 h, 394 b.

Keystone-France :

p. 4 g, 8, 14, 15, 19, 24, 27, 38, 44, 45, 55, 60, 61 h, 61 b, 91 (4), 91 (5) (Explorer Archives), 22 (Alain Le Toquin), 41 (3), 73 (Louis Bertrand), 47, 123 b, 126 (1), 150-151, 153, 154 h, 155, 156, 228 (1) *(L'Humanité)*, 72 (JM Steinlein), 80 (1) (Collection Chauveaux), 149 (B.H.V.P.), 170 (Musée de la résistance de Besancon), garde, 4 c, 4 d, 5 c, 5 d, 10-11, 12, 13, 16-17, 18, 21, 23, 25, 26, 28-29, 30, 31, 32-33, 39, 42, 50, 51 b, 52, 53, 56-57, 58, 64 h, 64 b, 65, 66, 67, 68 h, 68 b, 69, 70, 74-75, 76, 77, 79, 80 (2), 81 (3), 81 (5), 83, 84, 85 h, 85 b, 86 h, 86 b, 87, 88, 89, 90 (1), 90 (2), 91 (3), 92, 94, 95 h, 95 b, 96, 97, 98 h, 98 b, 99, 100, 101 h, 101 b, 102, 103, 104 h, 104 b, 105, 106, 107 h, 107 b, 108 (1), 109 (4), 109 (5), 110-111, 112, 113, 114, 115, 116 h, 116 b, 117, 118 (1), 119 (4), 119 (5), 120-121, 123 h, 124-125, 126 (2), 127 (4), 127 (5), 128, 129 h, 129 b, 131, 132, 133, 134, 135, 136, 138, 139 h, 139 b, 140, 141, 142-143, 144, 145, 146, 147 h, 147 b, 148, 152, 158-159, 160, 161 h, 161 b, 162-163, 166-167, 168, 169, 170, 173, 174-175, 176 h, 176 b, 177, 178, 179, 182, 183 h, 184, 185, 186, 187, 188 (1), 188 (2), 188 (3), 189 (4), 189 (5), 191, 192, 194, 195, 197 h, 197 b, 198, 199, 200 h, 200 b, 201, 202, 203, 204, 205 h, 205 b, 206, 207, 208, 209, 211 h, 211 b, 212-213, 215, 216, 217, 218, 219, 220, 221, 223, 228 (2), 229 (3), 229 (4), 229 (5), 230, 231, 233 b, 234, 235, 236, 237, 238 (1), 238 (2), 239 (3), 239 (4), 240, 244, 245, 246, 247, 248 h, 248 b, 249, 251, 252 h, 252 b, 253, 254-255, 256, 257, 258 h, 258 b, 260-261, 262, 263, 264, 265, 266-267, 269, 270, 271 h, 271 b, 272, 274 (4), 276, 277, 278-279, 280, 282, 284, 285 h, 285 b, 286 (1), 287 (5), 288-289, 290, 291 h, 292 (2), 292 (3), 294, 296, 298, 299, 301, 304, 305, 306, 307, 310 h, 310 b, 311, 312, 313 h, 315, 318 b, 320-321, 322, 325, 326, 327, 330, 331 h, 331 b, 332, 333, 342-343, 346 (1), 346 (2), 346 (3), 347 (4), 350, 363 b, 396 (1), 397 (3).

Rapho :

p. 51 h, 164 (André Gamet), 126 (3), 196 (Robert Doisneau), 180-181 (Serge de Sazo), 190 (J. Le Cuziat), 210, 369 (Jean-Philippe Charbonnier), 214 (Jean-Marie Marcel), 222 (Maurice Zalewski), 233 h (Dominique Berretty), 293 (4) (Ghislain Dussart), 344 (Hervé Gloaguen), 364 (JNS).

AFP IMAGE FORUM

p. 283, 317 (3), 353.

CORBIS

p. 157 (Antoine Gyori/Sygma/Corbis).

LEEMAGE

p. 40 (1), 63 (Selva), 40 (2) (Bianchetti), 78 (Lee), 108 (3) (Gusman).

ROGER-VIOLLET

p. 36-37 (Maurice-Louis Branger), 62 (Bibliothèque Marguerite-Durand), 81 (4) (Ullstein Bild), 34, 35, 59.

PHOTO 12

p. 317 (3) Archives Du 7e Art/Films Pomereu.

DR

p. 41 (4), 41 (5), (source : Paul Dubé *via* dutempsdescerisesauxfeuillesmortes.net), 243, 300, 324 (source : Journaux Collection).

Ouvrage réalisé par Copyright pour les éditions Gründ

Création graphique Marina Delranc

Mise en pages Zarko Telebak

Iconographie Sophie Zeegers et Audrey Busson

Coordination éditoriale Sophie Zeegers et Claire Aubier

Photogravure Peggy Huynh-Quan-Suu

Fabrication Stéphanie Parlange, Cédric Delsart et Marc Henninot

ISBN 978-2-324-00362-2

Dépôt légal : octobre 2012

Éditions Gründ - 60, rue Mazarine - 75006 Paris

www.grund.fr